MAIOR ABANDONADO

MAJOR
ABANDONADO

Juliana Apetitto

Maior Abandonado

EDITORA
Labrador

Copyright © 2021 de Juliana Apetitto
Todos os direitos desta edição reservados à Editora Labrador.

Coordenação editorial
Pamela Oliveira

Assistência editorial
Gabriela Castro

Projeto gráfico e diagramação
Hulda Melo e Felipe Rosa

Preparação de texto
Marcelo Nardeli

Capa
Raul Benevides

Revisão
Laila Guilherme

Dados Internacionais de Catalogação na Publicação (CIP)
Angélica Ilacqua – CRB-8/7057

Apetitto, Juliana
  Maior abandonado / Juliana Apetitto. – São Paulo : Labrador, 2021.
  192 p.

ISBN 978-65-5625-105-9

1. Ficção brasileira I. Título

21-0295   CDD B869.3

Índice para catálogo sistemático:
1. Ficção brasileira

Editora Labrador
Diretor editorial: Daniel Pinsky
Rua Dr. José Elias, 520 – Alto da Lapa
05083-030 – São Paulo – SP
+55 (11) 3641-7446
contato@editoralabrador.com.br
www.editoralabrador.com.br
facebook.com/editoralabrador
instagram.com/editoralabrador

A reprodução de qualquer parte desta obra é ilegal e configura uma apropriação indevida dos direitos intelectuais e patrimoniais da autora.

A editora não é responsável pelo conteúdo deste livro.
Esta é uma obra de ficção. Qualquer semelhança com nomes, pessoas, fatos ou situações da vida real será mera coincidência.

Para meus pais, com amor e gratidão pelos recortes de jornal.

Sou ranger de dentes, furacão em alto-mar, espada afiada que atravessa o coração e o faz sangrar. Sou o caos em noites frias e insones, sou aquilo que te torna um grão de areia, insignificante, como tudo que é irrelevante. Sei que você é a minha vítima, mas você também se tornou algoz...

São Paulo, julho de 1997.

A luz no quarto era fraca, um pequeno tom de luminosidade revelando o amanhecer do dia, e, mesmo sem distinguir os objetos com clareza, Gabriel reconheceu o ursinho no fundo do armário. Ele o tocou com uma familiaridade antiga, tentando resgatar algo há muito tempo perdido. Companhia? Segurança? Proteção? Esperança. No passado, o ursinho significava esperança.

— Merda — murmurou.

Pensava que o urso de pelúcia não existisse mais, que tinha sido jogado fora ou que fizesse parte da vida de outra criança carente. Ele fechou os olhos e respirou fundo, recolocando a pelúcia no armário. Vivia o momento do desacolhimento institucional por maioridade. Realidade do órfão que não tem para onde ir.

Gabriel estreitou os olhos novamente para dentro do armário, retirando algumas peças de roupa. Roupas velhas. Furadas. Desbotadas. Devoradas por traças. Peças que ele enfiava sem muito cuidado dentro de uma sacola. Queria terminar logo, esquecer aquele armário velho com cupim.

— Você caiu da cama?

Gabriel levou um susto. Seu colega Itamar estava logo atrás dele. Lembrava o Primo Itt da Família Addams, com seus longos fios de cabelo. Sua aparência esquisita era um alívio para Gabriel, que em outra situação caçoaria dele. Mesmo sabendo que Itamar teria o mesmo destino que ele, Gabriel se sentia envergonhado por ser flagrado organizando a sacola de roupas. Era como ser despejado por não pagar aluguel.

— Que susto, Itamar! Não dorme mais?

Ele passou a mão pelo cabelo, o rosto corando discretamente.

— Impossível, com tanto barulho. — Itamar abriu a boca de sono, a voz cansada. — Fui acordado várias vezes, cara. E agora já é dia.

— Tenho que separar essas coisas — respondeu Gabriel, dando atenção extra a uma camiseta descosturada na altura do ombro. Decidiu não levá-la. — Não quis te acordar. Foi mal.

Itamar observou a sacola.

— Este lugar vai ficar esquisito, cara.

— Esquisito? Vai ser melhor para vocês. Terão todas as menininhas aos seus pés.

Itamar riu.

— Você se acha demais, cara.

Gabriel sorriu com o comentário. Ele recebia atenção de quase todas as meninas do abrigo e as disputava com os colegas, mesmo tendo namorada. Natasha era a matriz, e as outras eram as filiais, simples assim. E para Gabriel isso era normal.

— Dona Teresa está chateada por você ir embora.

Gabriel deu de ombros.

— Ela escolheu trabalhar com pessoas que vêm e vão, carregando suas malas de problemas. É como se esse lugar fosse uma rodoviária fria e impessoal, com a diferença de que quase nunca sabemos qual rumo tomar.

Itamar observou Gabriel. Não concordava com o raciocínio do colega.

— Ninguém está preparado para dizer adeus, cara. Para dona Teresa é difícil ver você saindo daqui com uma sacola nas mãos.

Gabriel levou as mãos aos olhos, beirando a exaustão. A poeira vinda do armário também não ajudava.

— Ela não sofre mais do que a gente. — Gabriel olhou o colega nos olhos, esforçando-se para soar racional e indiferente. — Somos peças de tabuleiro, Itamar. Não temos opções.

Gabriel fechou a sacola com um nó, encerrando a conversa. Sentia-se muito mal. Havia guardado o ursinho na sacola enquanto Itamar não observava, mas já se arrependia daquilo. Precisava respirar.

— Depois a gente conversa. Está muito abafado aqui dentro.

Gabriel deixou o quarto em passos ligeiros, chegando rapidamente ao jardim. Ele tinha consciência dos benefícios da natureza em sua vida, recordando que Josias, o velho voluntário de jardinagem, costumava defender a ideia de que a natureza fornecia subsídios para o alívio de diversas enfermidades de fundo emocional, razão que o fizera assumir a responsabilidade de cultivar e manter o espaço verde no abrigo.

Gabriel encontrou Josias diante do limoeiro. Observou o sorriso estampado em seu semblante cansado e pela primeira vez sentiu curiosidade por sua história de vida, coisas sobre família, infância, adolescência. Algo que não se limitasse a jardins, minhocas, substratos e plantas. Acenou para ele.

— Olá, Josias.

— Olá, Gabriel. Estou colhendo limões. Veja como estão bonitos.

Ele lhe mostrou a cestinha, sem perceber que Gabriel havia direcionado sua atenção para outro limão, grande e desproporcional, sujo de areia, quase oculto entre as folhas estreitas de gramíneas, completamente esquecido por ter caído.

Gabriel se abaixou, observando a fruta com uma raiva surda, um sentimento insano que o fazia se identificar com o limão. Nenhuma família o acolheu, e ele agora sofria por ser desacolhido do abrigo. Já o grande limão fora expulso da árvore por não ter sido *colhido*.

O garoto ensaiou uma brincadeira, jogando o limão para cima e rebatendo-o com a palma da mão, como se fosse uma peteca. A cena durou pouco, pois Josias arrebatou a fruta do jovem.

— Pode ser útil, desde que não o estrague.

— Sério? — retrucou Gabriel, a raiva efervescendo dentro dele. — Você o enxergaria tendo outros tantos pendurados nesta maldita árvore?

— *Você* o enxergou. Um limão magnífico como este não pode ser...

Gabriel não lhe deu ouvidos.

— Pensei em transformá-lo em brinquedo, talvez uma peteca. Não foi exatamente o que fizeram aqueles que me enxergaram?

Josias não respondeu e Gabriel deu-lhe as costas, envergonhado por se abrir mais que um guarda-chuva. Toda a coisa envolvendo o limão se tornara ridícula. Ele se sentou no gramado com os braços apoiados nos joelhos, e o jardineiro acompanhou-lhe o movimento, colocando o limão entre eles.

— Você não está preparado — disse Josias.

Gabriel encarou o olhar do homem, que o desafiava a falar sobre seu passado. Ele sabia que todos no abrigo se apiedavam dele. Nascera todo cagado, é o que diziam.

— Você era muito novo...

— Talvez não para eles.

— ◆ —

Aos quatro anos, Gabriel conhecera um casal de candidatos à adoção, tendo sido presenteado com um novo lar e o tal urso de pelúcia. Pela primeira vez ele se sentiu amado, com um pai com quem brincar e uma mãe para pentear seus cabelos. Mas algo aconteceu numa tarde chuvosa. Havia muita agitação na casa, e um homem desconhecido o levou de volta ao abrigo. Sem nenhuma explicação.

Gabriel se viu novamente abandonado, arrancando tufos do próprio cabelo, culpando a si mesmo. Depois esperou, agarrado ao urso de pelúcia, pelo retorno dos pais de criação. Algo que nunca aconteceu.

Somente aos dez anos ele aceitou a rejeição como realidade e não mais buscou a companhia do ursinho. Os pais adotivos não o procuraram, não retornaram para buscá-lo, não explicaram a razão subjacente por trás daquela separação. A punição seria eterna, e ele jamais entenderia o motivo.

O trauma gerado pelo abandono bloqueou várias memórias envolvendo o casal, impossibilitando Gabriel de lembrar seus nomes e feições. Ele também tivera sonhos terríveis ao longo dos anos, acordando urinado e deitado em posição fetal.

— Eu sei que é muito sofrimento para você.

A voz de Josias trouxe Gabriel de volta ao presente. Ele encarou o homem.

— Saber não é o mesmo que viver.

Houve uma longa pausa. Salvá-lo era uma missão perdida, fadada ao fracasso.

— De acordo com a lei, não era para você estar despreparado diante dessa situação.

A política de proteção havia falhado. Não houve o cumprimento daquilo que o Estatuto assegurava.

— Estatuto da Criança e do Adolescente... Para que serve, afinal? — perguntou Gabriel, não sem azedume.

— Serve para lembrarmos que, apesar da ausência de comprometimento das muitas pessoas envolvidas, não devemos perder a esperança, pois outras tantas estão trabalhando para que a realidade seja diferente.

Gabriel deu de ombros.

— Observe este jardim! Eu não o cultivei sozinho. Pessoas boas que você não conheceu me forneceram adubos, sementes... E olhe essa árvore! — Josias indicou o limoeiro. — Ela é uma grande amiga! Às vezes, é em sua sombra que repousamos, respirando o ar balsâmico que aqui circula com intensidade.

— E o limoeiro fornece a fruta para o preparo do suco que bebemos nas refeições. Sei aonde quer chegar e saiba que acredito na existência de pessoas boas. — Gabriel fez uma pausa antes de continuar: — Reconheço seu sacrifício neste lugar.

— Sacrifício? — perguntou o velho senhor com uma careta. — Não se trata disso. — Ele parou por um instante, parecendo escolher as palavras. — Apenas tenho certeza de que o Estatuto ainda será devidamente aplicado.

— Difícil acreditar — retrucou Gabriel, cético.

— Quando criança, você gostava de me ajudar com as sementes, lembra?

— Claro.

— Então, muito além desses muros você deve saber que trabalho modestamente como jardineiro. Tenho o necessário para viver e gostaria de tê-lo como meu braço direito. Não é muita coisa, sei disso, mas ficaria feliz se aceitasse.

Gabriel não esperava aquela proposta. Ele planejara recomeçar do zero, desvencilhando-se completamente do abrigo. Não depender de mais ninguém era o objetivo de sua vida.

— Encontrar emprego não será fácil, mas você me deu uma boa ideia quanto à jardinagem. Não tinha pensado nisso...

— Você poderia morar comigo — ofereceu Josias.

— Sim, claro. — Gabriel fez uma pausa. — Mas não posso aceitar. Estou seguindo o meu destino, sem qualquer outra opção.

— Você tem opções.

Gabriel balançou negativamente a cabeça.

— Eu não posso aceitar, Josias. Mas lhe agradeço. Muito. De verdade.

Sem mais nada a dizer, Gabriel se levantou e acompanhou com surpreendente alegria a figura de Natasha correndo em sua direção, com seus cabelos negros e encaracolados, rosto rosado e olhos cor de mel. Gabriel esboçou um sorriso largo e sincero, o primeiro do dia.

Ofegante, Natasha acenou delicadamente para Josias, que retribuiu o cumprimento com um movimento de cabeça, e pediu para conversar com o namorado.

— Gabriel, eu... Eu gostaria de conversar com você... Seria possível?

— Claro. Você está bem? Parece aflita.

Ela estreitou os olhos e ele registrou o movimento com uma expressão séria.

— Vamos ao balanço de pneu?

Ele assentiu com a cabeça.

—◆—

Natasha é natural de Governador Valadares, Minas Gerais, e foi retirada dos pais ainda bebê por denúncia anônima de maus-tratos, sendo entregue a uma família que estava há anos na fila de adoção.

O histórico dela revela uma falha grave da Justiça, uma vez que a família biológica entrou com ação judicial para reconquistar sua guarda e venceu três anos depois. Os anos felizes com a família adotiva não foram considerados.

Natasha estranhara, e muito, conviver com os pais biológicos. Convivência que acabou no dia em que a polícia adentrou a casa em que morava para prender seus genitores por envolvimento com tráfico de drogas e crime organizado. Ela tinha onze anos e, sem nenhum vínculo com outros parentes, foi transferida para o abrigo onde viria a conhecer Gabriel, na capital paulista.

— ◆ —

A moça, que acompanhava o namorado até o balanço, estava calada, prisioneira dos próprios pensamentos. Usava cachecol de crochê enrolado no pescoço, sua peça favorita nos últimos dias. Gabriel observava-lhe o semblante com uma ruga entre as sobrancelhas. Seu destino poderia ter sido outro, assim como o dele. Feliz. Natasha estava sempre com o pensamento distante. Inacessível. Nos últimos dias andava pior, mais introspectiva.

— Você não me parece muito bem, Nat.

Natasha direcionou um olhar perscrutador a Gabriel, mas, antes mesmo de falar qualquer coisa, o namorado comentou:

— Josias me ofereceu moradia.

Ela abriu a boca, surpresa. Prevendo uma comemoração por parte de Natasha, Gabriel se antecipou:

— Eu não aceitei.

Eles se encararam. Natasha quebrou o silêncio:

— Você recusou um lar? — Ela parecia não acreditar no que ouvia.

— Não pretendo viver de compaixão pelo resto da vida.

— Josias conhece você desde pequeno.

— Ele é o jardineiro daqui, e isso não significa que me conhece. Não sabemos nada sobre ele, na verdade.

— Sabemos que ele é bom para nós.

— Ele é um homem bom, mas você não entende.

— Não entendo que somos peças do mesmo sistema falho?

Gabriel bufou, desviando o olhar.

— Não queira o meu sofrimento para você — disse Gabriel.

— A sua realidade também é a minha.

Ele permaneceu em silêncio por algum tempo e depois olhou para Natasha com raiva.

— Sabe qual é a verdade? — Gabriel mordeu o lábio inferior antes de prosseguir. — Quando mais preciso, você se ausenta. Não passo de um cara bonito com quem você se diverte.

As últimas palavras dele morreram no ar. Natasha se sentiu devastada por aquela acusação ridícula, fraca demais para respondê-la.

Gabriel pigarreou, percebendo que a magoara.

— Talvez tenha me expressado inadequadamente.

— Injustamente — corrigiu Natasha.

— Que seja. É bizarro comparar nossas situações. Você terá um lugar para dormir hoje à noite. Eu, não.

Natasha ficou de pé, visivelmente perplexa com o que saía da boca de Gabriel.

— Não posso ser seu bode expiatório. Não depois de tudo o que passei.

Gabriel segurou-a pelo braço num gesto rápido.

— Tente entender. É muito difícil admitir que essa situação me apavora. — Ele tropeçara nas palavras, hesitando em preservar a pouca individualidade que lhe restava. — Sinto medo 24 horas por dia. Estou sempre pensando nisso, como uma ideia fixa.

A pele dela escorregou entre seus dedos. Natasha tinha o olhar fixo em algum ponto no horizonte. Desejava que a vida fosse calma e simples.

— Está bem — disse Natasha. Então se virou para olhá-lo.

— Não quero que me veja como covarde...
Natasha suspirou fundo.
— E eu não quero que você duvide dos meus sentimentos, Gabriel.
— É que... — Ele engoliu em seco, desconfortável. — O que você vê em mim, Nat?
Natasha compreendeu o alcance daquela pergunta e, antes de responder, sentou-se ao lado dele novamente. Via nele uma porção de qualidades.
— Você é interessante.
Gabriel arqueou uma sobrancelha. O tom dela era descontraído. Divertido. Sentiu-se grato por aquilo. Não queria brigar com Natasha.
— Você é generosa.
— Apenas realista.
— E mesmo assim permaneceu intacta diante de todos os imperativos da vida. Admirável.
Ele não estava sorrindo, falava sério. Natasha sentiu os olhos se encherem de lágrimas e, num gesto automático, o beijou na testa. A emoção tinha dado um aspecto vulnerável a Natasha. Sem resistir aos ímpetos do coração, Gabriel se aproximou devagar, depositando um beijo em seus lábios. As lágrimas do jovem casal se misturaram enquanto o beijo se tornava urgente, intenso, repleto de sentimentos controversos. Ficaram assim por um longo tempo, abraçados, entregues, com a respiração acelerada, não se importando com o mundo ao redor deles.

— ♦ —

Eles moravam num lugar em que não havia educadores e psicólogos voltados para o bem-estar dos órfãos. Nenhum jovem deveria deixar o abrigo em tamanho estado de aflição. Natasha acreditava em um maior comprometimento político-social se houvesse o compromisso ético humanitário. Então, numa noite como as outras, antes de Gabriel completar a maioridade, ela procurou o diretor do abrigo para interceder por ele.

O silêncio e o frio invadiam os corredores; o barulho e o movimento que costumavam perpetuar na casa se extinguiram por completo. Todos adormeciam e o diretor permanecia em sua sala, como se não tivesse ele sua própria casa.

Xavier abusava do cargo na diretoria para obter benefícios, desviando grande soma de dinheiro. Era um homem frio e calculista, voltado para os próprios interesses.

Ele analisava uma folha repleta de cálculos quando Natasha adentrou a sala sem ser notada, até que sua respiração anunciou sua presença. Xavier ergueu a cabeça de sobressalto, um tanto surpreso, mas sem deixar transparecer que havia se assustado. Seu semblante era impassível.

— Olá... jovem. Qual é mesmo o seu nome?

— Natasha.

— Ah, sim. Lembro-me de você.

Ele mentia. Xavier não se lembrava da criança mineira retirada dos pais adotivos, devolvida aos biológicos e tragicamente transferida ao abrigo dirigido por ele. A triste história de Natasha, tão bem conhecida naquele lugar, simplesmente não significava nada para o próprio diretor.

Após colocar a papelada que usara dentro de uma gaveta e trancá-la com chave, Xavier observou Natasha meticulosamente, perguntando com ensaiada naturalidade:

— Como poderia esquecer o nome de tão bela jovem? Ela abaixou os olhos, constrangida.

— Em que posso servi-la? — perguntou ele, ignorando o constrangimento dela.

— Perdoe-me por atrapalhar o seu trabalho — respondeu Natasha com voz trêmula. Em seguida, disse ao diretor que o namorado estava prestes a deixar a instituição por atingir a maioridade e não tinha para onde ir.

— Quem é o seu namorado?

— É o Gabriel.

— Aquele menino que foi devolvido?

— Sim, ele mesmo.

— Posso imaginar por que o devolveram — disse Xavier, sugerindo que Gabriel fosse tão indesejável quanto uma barata. — Lamento bastante, mas não posso ajudá-lo.

— Por quê? — Natasha sentia a esperança se esvair.

— Gabriel poderia ter abraçado as oportunidades que recebeu aqui em nossa casa. Se ele não tem para onde ir, a responsabilidade é dele, não acha?

Natasha passou a considerar sua iniciativa, percebendo tardiamente que não conseguiria amolecer o coração endurecido do diretor. Abalada, ela ainda fez um novo apelo, ao qual Xavier respondeu com frieza:

— Você é muito jovem e inexperiente, mocinha. Rapazes como Gabriel são preguiçosos e esperam dádivas sem lutar pela própria sobrevivência. Desde muito novo aprendi a me virar, buscando meios para atingir os meus objetivos. E aqui estou, fora do horário de serviço, ouvindo uma garota interceder pelo namorado que nada faz para melhorar de vida. Tenha dó!

— Senhor... — Natasha esfregou os olhos, parecendo exausta. — Antes de qualquer coisa, devo esclarecer que Gabriel jamais solicitou a minha intercessão. Somos conscientes de que o trabalho é necessário, e não o tememos. Porém, o abrigo moral é imprescindível, e compreendo que o seu coração não está aberto para maiores entendimentos. Esta instituição não aplica algumas regras básicas do Estatuto da Criança e do Adolescente, e, consequentemente, Gabriel se encontra despreparado para encarar as realidades do mundo. Não houve oportunidades para que ele pudesse abraçá-las.

Xavier recebeu aquelas palavras como um tapa na cara.

— Está insinuando que eu faltei com os meus deveres como diretor?

— Apenas peço que não despreze seu dever com a gente. Dependemos de pessoas que ocupam cadeiras como a sua. Esta casa abriga muitas crianças e adolescentes que dificilmente encontrarão um lar. Eles precisam ser preparados para o futuro.

— Você deve amá-lo muito para agir com tanto atrevimento — replicou ele, altivo.

— Sim, eu o amo.

— O que é um grande desperdício. Uma mulher tão inteligente...

Xavier não concluiu a frase, e Natasha se incomodou com o olhar lascivo dele, algo ameaçador e sensual. Tomada de horror, ela teve o ímpeto de sair correndo.

— Desculpe-me mais uma vez por atrapalhá-lo — disse com prudência, tentando encerrar a conversa com delicadeza. — Com licença.

Xavier se levantou da cadeira e segurou uma das mãos de Natasha.

— Calma, eu não deixei de considerar o seu pedido.

— Mas... — Natasha sentia o coração bater mais forte. — O senhor disse que não poderia ajudá-lo.

— Não posso ensiná-lo a ser menos preguiçoso, mas, caso você colabore, poderei fazer vista grossa até que Gabriel encontre meios para viver por conta própria.

Então beijou a mão de Natasha. Com um sentimento de repulsa, Natasha retirou a mão rapidamente, afastando-se alarmada.

— Não estou lhe entendendo.

Xavier agarrou-a pelo braço com certa brutalidade, imprimindo à voz uma inflexão de sedução:

— Não se faça de ingênua, minha princesa, você me entendeu muito bem.

Lágrimas rolaram pela face de Natasha, e o diretor, desprovido de escrúpulos, virou-a para mesa e a deitou de bruços.

— ◆ —

A violência sexual contra crianças e adolescentes é um problema antigo que acarreta várias consequências de ordem psicológica, física e social em suas vítimas, sendo importante frisar que o estupro é uma arma de força contra a mulher; uma violência carregada de poder, hostilidade e dominação.

Com Natasha, assim como em muitos outros casos, tudo aconteceu muito rápido, como um relâmpago, seguido por uma tragédia de natureza emocional. Abuso sexual é crime, mas, na ingenuidade de suas emoções, ela atribuiu a si uma culpa imerecida, uma vez que a cultura tende a culpabilizar a vítima.

A cabeça de Natasha formulava, sem trégua, os mais desencontrados questionamentos acerca da própria conduta. Odiava-se por ter procurado o diretor tarde da noite. Pensou em Gabriel, desejando contar a ele sobre o ocorrido, mas Xavier só permitiria a permanência do namorado desde que ela guardasse segredo.

Confusa e envergonhada, Natasha escolheu conter o ímpeto de desabafar sobre a violência da qual fora vítima, buscando forças na falsa solução que acreditou encontrar para Gabriel. Havia manchas roxas em algumas partes do seu corpo, e o medo predominou sobre todas as inquietações.

— ♦ —

Natasha se esforçava para disfarçar o incômodo ocasionado pelo cachecol, levando as mãos constantemente à área coberta. Doíam na alma as marcas que ela lutava para esconder.

— É melhor tomarmos o café da manhã — sugeriu Gabriel, com um sorriso triste. — Dona Teresa já deve ter preparado a mesa.

— Sim — concordou Natasha. — Vamos ao refeitório. Depois trate de descansar. Você está precisando.

— Descansar não está nos meus planos. Conversamos sobre isso agora mesmo, lembra? — questionou Gabriel, tomando-lhe uma das mãos. Já preparei a sacola. Vou ganhar a rua após o café.

Ela apertou os olhos, confusa.

— Espere um pouco — começou a dizer com uma voz pausada. — Você vai embora de vez?

— Não tenho escolha — respondeu Gabriel.

— Não ter escolha é a sua resposta pra tudo?

— A maioridade chegou, se você ainda não percebeu.

— Josias lhe ofereceu a casa dele!

Natasha estava chocada.

— Sei que não aceitou — ela prosseguiu, agora com a voz mais acelerada. — Mas Xavier permitiu que você permanecesse aqui até encontrar novas acomodações.

Sem compreender como algo dessa natureza seria possível, Gabriel fez um comentário aleatório, que revelava a índole do diretor sob seu ponto de vista:

— Xavier desvia grande soma do dinheiro destinado ao abrigo. Não tenho dúvidas de que a administração deste lugar é corrupta.

— Sou obrigada a concordar com você — disse Natasha em tom de desabafo, estremecendo em face daquelas observações. O diretor era capaz dos mais inconfessáveis delitos.

— Pois é, sendo assim, por que o cretino do Xavier permitiria a minha permanência? Não entendo o que te faz pensar que ele seria capaz de algum gesto de solidariedade.

Natasha se assustou. Havia esquecido qual era o tema principal daquela conversa e, recompondo-se, respondeu reticentemente:

— Então, só que ele deixou você ficar...

— Ele não me comunicou nada.

Natasha ouvia-o calada, pouco confortável. Observando-a, Gabriel hesitou por alguns segundos, então perguntou:

— Você conversou com ele sobre a minha saída?

— Sim — respondeu ela, engolindo em seco. O cachecol parecia espremer sua garganta como uma forca.

Gabriel dirigiu-lhe um olhar duro.

— Não aceito qualquer tipo de intromissão em meus assuntos particulares.

— Por uma questão de orgulho.

— Não, Natasha, porque é a minha intimidade!

— Não me julgue por recorrer ao diretor. Tenho medo de perder você!

Encararam-se. Gabriel sentia o sangue subir.

— A oferta de Josias também tem alguma coisa a ver com você? — questionou Gabriel com desagrado.

— Claro que não — respondeu ela, surpresa. — Eu não teria procurado aquele monstro se imaginasse que Josias ia oferecer a casa dele.

Dor e angústia se refletiam nos olhos de Natasha.

— Não podemos chorar sobre o leite derramado. Pelo menos você ficará aqui.

E desviou o olhar. Gabriel sentia o rosto inflamar. Alguma coisa estava errada, e ele não percebeu quando apertou a mão de Natasha por reflexo.

— Você está me machucando!

Gabriel ficou transtornado demais para ouvi-la. Natasha andava abatida e usando cachecol num calor de 26 graus. E nos últimos dias, a namorada vinha evitando-o. Por quê? O que ela estava escondendo dele?

Agilmente, Gabriel desenrolou o cachecol em volta do pescoço de Natasha e o puxou. A visão que obteve lhe gelou o sangue. Havia várias manchas roxas no pescoço da namorada. Ela se levantou com a face corada, os olhos úmidos.

— Por favor, Gabriel, se me ama, não julgue pelo viés das aparências. — O lábio inferior de Natasha tremia. — Eu disse "não". Ele não me ouviu.

A visão de Gabriel obscureceu. Desejou falar, mas não conseguiu organizar os próprios pensamentos, tampouco expressá-los.

Envergonhada e com os olhos enevoados de lágrimas, Natasha murmurou, suplicante:

— Fique, e nada será em vão.

Ela enxugou as lágrimas e, sem mais nada a dizer, afastou-se de Gabriel correndo, deixando o jardim.

—◆—

A dor que Gabriel sentia no peito chegava a ser física. Tudo se encaixava perfeitamente. Sua cabeça pendeu para a frente e ele a acolheu com as mãos, trêmulo, pensando no estado físico-emocional de Natasha, vítima de abuso sexual. Isso não ficaria assim. Ele tinha que fazer alguma coisa.

Com o semblante desfigurado pelo ódio, Gabriel reuniu todas as energias que lhe restavam e se levantou, reagindo contra a dor que o massacrava.

Evidentemente ninguém seria capaz de supor a extensão de sua revolta ao vê-lo, a passos largos, em direção à sala de Xavier. No entanto, dona Teresa, adivinhando que algo sério ocorrera, tentou alcançá-lo, mas foi bruscamente afastada. Com o semblante carregado, Gabriel adentrou a sala do diretor e encontrou Natasha lá dentro.

— Natasha — começou Gabriel, amargamente surpreendido. — O que faz aqui?

Seu rosto estava marcado pela fúria, o pomo de adão subindo e descendo visivelmente.

— Afaste-se deste criminoso agora!

— Gabriel, por favor, espere lá fora — respondeu ela desesperadamente.

— Ele abusou de você! — bradou alto, tomado pela cólera.

Xavier, tencionando não se comprometer, esboçou fingida interrogação na fisionomia e andou até Natasha, envolvendo-a com o braço. A garota mordeu os lábios, seus olhos fixos em Gabriel.

— Natasha — disse o diretor, virando-se para encará-la —, o que está acontecendo aqui?

Lágrimas começaram a se formar nos olhos dela e Xavier apertou seu ombro disfarçadamente, como a exigir uma resposta.

— Eu... — começou ela, a voz embargada e o olhar voltado para o chão. — Eu... não sei.

A essa altura dona Teresa e Josias estavam atrás de Gabriel, com as faces carregadas de preocupação. Adolescentes e crianças do lar se ajuntavam aos poucos e Gabriel, notando o pavor de Natasha, proferiu a acusação apontando para Xavier:

— Ele é um bandido pervertido!

Xavier ergueu uma sobrancelha.

— Você usa drogas?

— Eu... O quê? Filho da puta!

Gabriel perdeu a cabeça, e seria impossível prever o que teria acontecido se, no calor da confusão, Josias não o tivesse segurado. O hábil jardineiro parecia assustado, assim como a maioria dos abrigados, enquanto o diretor, excessivamente nervoso pelo soco que levara na cara, esbravejava que Gabriel não valia aquilo que "o gato enterra" e o Estado não tinha obrigação de cuidar dele.

Natasha, que por alguns instantes ficara petrificada, voltou a si e sugeriu, com a voz entrecortada, que Gabriel estava delirando.

Um sorriso arrogante repuxou o canto da boca de Xavier e o canalha, como era de esperar, aproveitou-se da sugestão da garota para reafirmar que Gabriel usava drogas e uma possível abstinência explicaria o seu comportamento delirante e agressivo. Uma boa saída para se safar e desacreditar o jovem perante as crianças, que choravam assustadas, e os adolescentes, que riam do seu descontrole.

Diante dessa cena revoltante e reconhecendo a derrota, Gabriel desarmou Josias com uma cotovelada, dirigiu um rápido e inesquecível olhar de profundo desgosto para Natasha e saiu correndo, conseguindo fugir do abrigo com a ajuda de dona Teresa, que abriu a porta dos fundos, e de Itamar, que lhe entregou a sacola com seus poucos pertences.

Gabriel corria sem trégua, segurando com força a sacola junto à barriga. Acreditava que o diretor acionara a polícia contra ele e não podia se dar ao luxo de parar para recobrar o fôlego. Seu coração esforçava-se para bombear o sangue e ele respirava instintivamente, enquanto lágrimas de cansaço surgiam em seus olhos e a garganta tornava-se insuportavelmente seca. Ele não sabia para onde ir. Estava no olho da rua.

São Paulo, novembro de 1997.

Quatro meses se passaram, e o drama de Gabriel continuava. Sua cabeça doía penosamente e ele se sentia traído, com um buraco no lugar do coração. Às vezes, pensava em reconsiderar a oferta de Josias, trabalhando com jardinagem e hospedando-se em sua casa, mas isso era uma estupidez, como algo que Natasha poderia fazer. E ele permanecia desconfiado, acreditando numa possível intervenção dela na proposta de Josias.

Assim, Gabriel escolheu viver nas ruelas obscurecidas da Grande São Paulo, lutando para esquecer todos que ficaram no abrigo. Em certos momentos sentia a consciência pesar, uma vez que Natasha fora violentada tencionando ajudá-lo, porém na maior parte do tempo o garoto orbitava na esfera negra do pensamento, afugentando as análises sensatas.

Ao menos Gabriel não estava sendo procurado pela polícia, como temia. Depois que deixou o abrigo, Natasha, em razão das fortes emoções que vivenciara, entregara-se ao leito, febril e abatida, revelando, durante o doloroso período de convalescença, toda a verdade a dona Teresa.

Ela foi submetida a um exame de corpo de delito, e o diretor, acusado de abuso sexual, preso.

Josias adquirira a guarda provisória de Natasha, prometendo dar-lhe assistência afetiva, material e educacional até os dezoito anos. Ela também contava com o amparo de dona Teresa, que a visitava sempre que podia.

Porém, nada a deixava feliz. Natasha sofria com a ausência de Gabriel e temia que ele não a perdoasse. Julgava seu comportamento, inclusive o que adotara quando ele tentou defendê-la.

Numa noite marcada por amargas comoções íntimas, Natasha se desfez em lágrimas diante de um teste de gravidez positivo. Não podia ser do Gabriel. Ela estava grávida do diretor e não tinha coragem de dar a notícia a Teresa e tampouco a Josias.

Longe de presenciar o drama da ex-namorada, Gabriel dormia sobre uma caixa de papelão amassada no beco de uma rua qualquer. No dia seguinte, barulhos de carros alcançaram seus ouvidos. A cidade havia acordado e ele sentia fome e sede, precisando mendigar para saciar a carência de alimento. Atormentado, questionava por que vivenciara o infortúnio do abandono mais de uma vez. Seus genitores estavam vivos? Os pais adotivos pensavam nele? Nas ruas, o urso de pelúcia servia-lhe de travesseiro, mesmo contra a sua vontade.

Gabriel desejava gritar em plena via pública, mas a indiferença dos pedestres lhe paralisava as cordas vocais. De nada adiantaria, uma vez que ninguém o via. Ele não tinha voz no mundo. Jamais teve e não seria agora, com a aparência detonada, que o enxergariam. Ninguém daria emprego para um menino de rua. Gabriel se sentia em um beco sem saída, rejeitando, novamente, a ideia de recorrer a Josias.

À tarde, após horas exposto ao sol e ao vento, Gabriel passou a observar a fisionomia carregada dos transeuntes nos pontos de ônibus, praças e padarias, concluindo, extremamente pessimista, que a infelicidade é contagiosa, que a proximidade entre as pessoas é totalmente circunstancial e, quando possível, homens e mulheres, não importando o lugar, utilizam-se dos assentos vagos entre eles para evitar qualquer tipo de interação. Estaria sendo radical por pensar dessa maneira? Não conseguia entender a dificuldade humana em dizer um simples bom-dia ou boa-tarde, não aceitava o padrão comportamental individualista no qual estava inserido. Considerava-se vítima da frieza humana.

Mal conseguindo carregar a sacola que trouxera do abrigo, Gabriel adentrou o Terminal Barra Funda, sentindo que não conseguiria andar por mais tempo. Seus olhos passearam por aquele local em que todos estavam de passagem. Alguns corriam, outros caminhavam a passos largos. O cenário diário de São Paulo.

Ele estava totalmente perdido quando alguém tocou em seu ombro.

— Ei, está tudo bem?

O desconhecido vestia farda e Gabriel se afastou, evidenciando insegurança. Acreditava que a polícia estava em seu encalço.

Sem pensar em mais nada, ele saiu correndo desesperadamente pela estação do metrô e o guarda, alarmado por tal reação, começou a berrar atrás dele.

A corrida durou pouco. Gabriel tropeçou no próprio cadarço e caiu de cara no chão, próximo a uma moça que o ajudou a se levantar. O guarda os alcançou, suado e esbaforido.

— Ele fez algo contra você?

A interpelada reconheceu o homem por trás da farda e seu rosto se iluminou.

— Tarcísio?! Como é bom revê-lo!

— Alice Rifólis? — O guarda parecia aturdido. — Por pouco não a reconheço!

— Eu mesma — respondeu ela, com amável sorriso. — Há tempos que não o vejo no condomínio. Por onde anda?

— Então, tenho feito a vigilância aqui na estação de metrô. — Tarcísio parou de falar, encarando Gabriel com desconfiança, mas, antes mesmo de tomar qualquer tipo de atitude, Alice interveio:

— Ele é o novo funcionário lá de casa.

Gabriel ergueu uma das sobrancelhas para a moça de modo quase imperceptível.

— O moleque aí? — perguntou o guarda, cismado.

— Sim. — Os olhos dela encontraram os de Gabriel e o jovem, sem saber o que dizer, abaixou a cabeça. Determinada, Alice dirigiu-se a Tarcísio: — Papai e mamãe, como bem sabe, vivem ocupados e me ofereci então para buscar o... Qual é mesmo o seu nome?

Gabriel ergueu os olhos para encará-la e fraquejou. Não conseguiria inventar outro nome para dar a ela. O melhor era falar a verdade, independentemente de ser reconhecido pela polícia ao fazê-lo.

— Gabriel.

— Isso mesmo! — concordou Alice, inspirando fundo. — Eu fiquei de buscá-lo, mas me atrasei um pouco.

O guarda franziu o sobrolho, mas não por reconhecer em Gabriel a figura de um foragido. É que os pais da moça jamais buscariam qualquer funcionário na estação de metrô, muito menos permitiriam que a filha o fizesse. No entanto, com um meneio de cabeça, como quem desejasse afastar as próprias suspeitas, comentou:

— Sempre cuidando de tudo e todos, né, Alice?

— Bondade sua.

— Se você o conhece, está tudo bem. Mande lembranças aos seus pais.

Despediu-se de Alice, deixando Gabriel completamente desorientado, o suor escorrendo sob a camiseta.

— Eu estava fugindo do policial — disse Gabriel.

Ao cabo de alguns segundos de observação, Alice questionou:

— Fez algo errado?

— Adiantaria dizer que não?

— Talvez sim. Quantos anos você tem?

— Dezoito.

— Muito novinho — murmurou ela num tom quase inaudível.

— É. Então. Mas obrigado — Gabriel começou a dizer. — Foi surpreendente o que fez por mim.

— Eu o vi entrar na estação. — Alice mordia os lábios, pensando na melhor forma de auxiliar o rapaz que, desde o início, chamara sua atenção. — Aos meus olhos você não passa de um garoto assustado. Foi uma coincidência reencontrar o Tarcísio aqui.

Gabriel a observou ligeiramente incrédulo; afinal, minutos antes, acreditava ser invisível, lamentando que a humanidade era cruel e individualista.

Sem mencionar o incidente envolvendo a ex-namorada e o diretor do abrigo, Gabriel narrou sua vida de maior abandonado, encontrando na jovem uma fonte inesperada de proteção.

Em uma padaria perto da estação, em conversação lúcida e interessante, os dois trocaram impressões sobre a dificuldade de consolidação do Estatuto da Criança e do Adolescente tanto em sua dimensão nacional quanto municipal.

Alice tinha 25 anos e trabalhava como professora. Planejava, para muito breve, se mudar para o continente africano, com o objetivo de desempenhar significativo papel social junto às crianças envolvidas na guerra de Serra Leoa.

— Elas são forçadas pelos rebeldes a se juntar ao exército, sendo desumanamente estimuladas ao uso de drogas, de armas e aos poucos perdem a própria identidade. É uma lavagem cerebral.

— Você não tem medo? — perguntou Gabriel. — Digo, a situação com os rebeldes é instável. Uma zona de guerra não é um lugar seguro para estar.

— Principalmente sendo mulher, não é?

— O contexto político é desfavorável.

— Estarei em um campo de reabilitação para recuperar cada criança-soldado. Sei que não será fácil, que encontrarei um ambiente hostil permeado por meninos que fizeram coisas inimagináveis. — Alice bebeu um gole do suco de caju, então continuou: — E, longe de todos os rótulos, eles não passam de crianças que sofreram traumas.

— Não é tão simples assim — argumentou Gabriel. — Estupro é a menor das atrocidades ocorridas numa guerra.

— Vidas são desperdiçadas diariamente. Não consigo ser insensível, por mais surreal que possa parecer.

Gabriel não sabia o que dizer. A figura de Alice se assemelhava à de um anjo que caiu do céu, e ele não estava acostumado a conviver com anjos. Tampouco acreditava neles.

— Sua preocupação com os outros é admirável — observou o jovem, mais para si mesmo.

A lua brilhava no céu, anunciando o correr das horas, e Alice, que ainda morava com os pais, notou que era hora de ir embora, mas convidou Gabriel a acompanhá-la, revelando precisar de alguém para cuidar do jardim de sua casa. Ele aceitou. Mais tarde, beliscou o próprio braço sem que ela notasse.

Ao chegar à residência da jovem, Gabriel sentiu o impacto. Ele nunca tinha visto nada parecido com aquilo antes. Alice morava num condomínio de classe alta, e a casa dela não era a única mansão das imediações. Gabriel engoliu em seco, apreensivo. Talvez pela simplicidade que a caracterizava, não imaginou que Alice fosse rica.

— É logo ali — disse Alice, fazendo um gesto em direção a uma pequena casinha destinada aos caseiros.

Gabriel sorveu uma funda inspiração, sentindo o aroma desconhecido daquele lugar, e acompanhou Alice, pedindo licença ao entrar.

— Amanhã apresentarei você aos meus pais, por hoje eu o deixo aqui.

Alice sorriu, e, num retrospecto minucioso sobre as últimas horas, Gabriel não se conteve:

— Você acha prudente confiar num cara que acabou de conhecer?

— No seu caso, sim. E você me falou que possui experiência com jardinagem.

— Aprendi algumas coisas com o jardineiro voluntário do abrigo, mas...

— Mas? — repetiu ela.

— Ainda sou um desconhecido. — Ele sorriu sem jeito.

— Você não precisa fazer isso.

— Nós precisamos de um jardineiro. Veja... — Ela desdobrou uma blusa que estava sobre a mesa. — Deve servir em você. No guarda-roupa há outras peças. Elas pertenciam ao nosso antigo funcionário e ele não voltou para buscá-las. Acredito que você tenha algumas para serem lavadas?

— Ah, sim. Tenho, sim. É que foram quatro meses nas ruas, sabe?

Alice limitou-se a sorrir. Ela estava tranquila, e ele também deveria ficar, mas era difícil acreditar no que estava acontecendo. Roupas limpas, uma cama para dormir. Tudo isso depois de quatro meses e graças a uma moça que confiara nele sem nenhum propósito aparente. Parecia loucura pensar em Alice como alguém de carne e osso.

Ao ficar sozinho, Gabriel sentiu saudade de Josias e de dona Teresa, desejando notificá-los que a felicidade lhe sorrira. Mas, por ainda alimentar raiva de Natasha, afugentou tal ideia. Ele mantinha a postura que havia adotado desde que deixara o abrigo como fugitivo e, no seu orgulho masculino, estava cada vez mais distante da ex-namorada.

Já a figura suave e radiante de Alice tomava conta de seus pensamentos, e Gabriel revivia, suspirando, o diálogo com a jovem. Estaria apaixonado? Não saberia dizer, mas foi com o pensamento em Alice que adormeceu na cama macia, experimentando uma paz desde há muito desconhecida.

São Paulo, novembro de 1997.

O sol iluminava o semblante de Gabriel através das arestas da janela, convidando-o a abraçar o belo dia que nascera. Sorrindo, ele se espreguiçou gostosamente, deixando a cama logo em seguida. Grande era o seu interesse pelo aspecto geral do lugar e, abrindo a porta da casinha, a visão à luz do dia o alegrou. O condomínio de alto padrão em que Alice morava era muito bonito, arborizado e silencioso, cercado de elementos que proporcionavam paz aos privilegiados paulistanos daquelas residências.

Gabriel via tudo aquilo como um território a ser explorado em toda a sua riqueza de detalhes. Havia um caminho de pedras que ligava a casinha até outros pontos do jardim de Alice, como a piscina e a cozinha da área externa, e permitia um passeio pelo ambiente que não danificava as plantas que compunham o cenário.

Em determinado ponto, havia um lago com peixes, e ao redor belas palmeiras.

"Josias ficaria fascinado", pensou Gabriel, observando, por fim, a mansão de três andares de Alice. "Quanto à casinha, embora pequena, é ideal para mim."

Ele suspirou, sentindo uma pontinha de inveja daquelas pessoas. Acreditava que seria feliz se tivesse todo aquele poder aquisitivo.

— Procurei por você na casinha e não o encontrei. — Alice surgiu entre as plantas, fazendo Gabriel se virar rápido. — Pensei que tivesse ido embora!

— É que eu estava curioso para ver algumas plantas de perto — justificou depressa, seu olhar agora registrando cada pétala de flor. — A sua área de lazer é bem ampla, ideal para acolher os amigos e promover grandes festas. Você deve ser muito feliz — comentou num tom casual, sem desviar os olhos das flores. Uma formiguinha caminhava pela pétala de uma flor branca.

Alice não era afeita a festas e reuniões com amigos, apreciava mais os momentos de leitura e introspecção. Sim, ela amava o conforto que sua condição social lhe proporcionava, mas não conseguia aproveitar toda aquela comodidade, consciente de que coisas precisavam ser feitas e que ela poderia realizá-las.

— Nem sempre é possível estar com os amigos.

Gabriel dirigiu toda a sua atenção para ela. Estava curioso.

— Não entendo por quê. Seu namorado é ciumento?

Alice se sentiu enrubescer e abaixou o olhar. Não esperava uma pergunta como aquela.

— Não, não. Eu não sou comprometida. — Ela levou as mãos ao cabelo num gesto automático. — Um dos motivos é que a viagem para Serra Leoa requer muita atenção e planejamento.

— Ah...

— Não tenho apoio dos meus pais e da maioria dos amigos. "É perigoso", dizem. "Você será deserdada", ameaça mamãe. "Seja a diferença que você quer no mundo" é o meu pensamento.

Gabriel pensava quase igual aos pais e amigos de Alice, mas escolheu ficar calado. Ela o trouxera para dentro da própria casa! Logo ele, que nos últimos tempos era repelido por diversas pessoas em variadas situações nas calçadas de São Paulo.

— Nossa, a hora está voando! — disse Alice, conferindo o relógio de pulso. — É melhor irmos, preciso apresentá-lo aos meus pais.

— Estou receoso — desabafou Gabriel, num tom de derrota. — Posso estar de banho tomado, aparentemente apresentável, com roupas limpas, mas, sinceramente, isso não quer dizer que seus pais contratarão alguém que passou os últimos meses morando em becos de rua. É expor a casa e a própria família ao perigo.

— Você é perigoso?

— O meu histórico como andarilho não é favorável.

Eles trocaram um breve olhar, e ela suspirou com compaixão. Gabriel havia vivido como escória social nos últimos meses, e o medo diante da perspectiva de não ser aceito pelos pais dela era compreensível. Mas Alice não desistiria dele, o jovem de dezoito anos ainda era um menino e tivera poucas oportunidades na vida.

— Por não apresentar qualquer tipo de perigo, suponho que esteja disponível para morar no trabalho — disse Alice, com calma. — Acredite, não é fácil encontrar funcionários que aceitem viver em tempo integral com os patrões. Isso é um ponto a seu favor, sabia?

Gabriel assentiu e, sem resistência mas ainda inseguro, acompanhou Alice pelo pequeno trajeto que dava acesso à grande casa. Dava para ouvir a televisão ligada na sala, e

Gabriel se imaginou lá, jogado ao sofá, sem preocupações, assistindo a uma boa partida de futebol. Ele também ouviu outros sons domésticos, como o barulho de talheres, vozes desconhecidas vindo da cozinha e, mais uma vez, sonhou acordado, desejando aquele lar para si.

Após mais alguns passos, Alice abriu uma porta elegante, daquelas grandes que se veem em filmes, e Gabriel adentrou a sala, pisando no assoalho de madeira cumaru com acabamento altamente refinado. Na parede, havia um belo e grande quadro com moldura dourada, e no teto um luxuoso e imponente lustre de cristais Swarovski. Tudo ali era muito elegante, a começar pelos pequenos objetos de decoração, que deveriam valer mais que um salário-mínimo.

No sofá, o pai de Alice roncava e a mãe lia alguma revista de fofoca. Ninguém prestava atenção à televisão, certamente importada, a julgar pelo tamanho e *design*, fazendo Gabriel se lembrar de que a do abrigo era minúscula e de madeira, quase sempre desligada por dona Teresa para evitar o alto custo do consumo de energia. Naquela casa, no entanto, ninguém parecia alimentar preocupações do gênero.

Ao notar a chegada de Alice, Judite largou a revista no sofá e cruzou os braços, exibindo linhas grosseiras no semblante carregado pela irritação.

— Alice, você se atrasou para o café da manhã e a empregada já está lavando os talheres!

— Depois pedirei desculpas a Maria por não ter participado do café matinal, sempre tão bem preparado por ela.

— Você deve desculpas a nós, e não à empregada!

O pai de Alice produziu um som gutural e virou-se no sofá.

— Eu até pediria, se papai estivesse acordado.

— E a mim, você não deve desculpas?

— Ah, mãe, isso é realmente necessário?

— Bem, você mora conosco e... — Nesse momento, Judite notou a presença de Gabriel, e suas pupilas aumentaram. — Quem é este rapaz, Alice? — A pergunta saiu rouca, e Judite piscou involuntariamente.

— É o jardineiro de quem lhe falei ontem à noite — respondeu Alice, com uma tranquilidade invejável aos olhos de Gabriel. Ele experimentava a sensação de estar à beira de um precipício.

— Jardineiro? Mas... — Judite balançou a cabeça, incrédula. — Ele é muito jovem.

A última palavra de Judite morreu na garganta, mas seu tom áspero fez com que Gabriel se sentisse um rato indesejado na sala ricamente mobiliada. Não seria contratado por aquela mulher.

— Bem... — continuou ela, impaciente. — Você falou que encontrou um jardineiro, e não um moleque.

Alice suspirou, também sem muita paciência. Uma característica de família?

— Gabriel e eu somos apenas bons amigos. Há quatro meses ele deixou o abrigo em que morava por completar a maioridade e...

— Sabia! — Judite a interrompeu em meio ao desconfortável barulho sonoro produzido por Ulisses. — Eu sabia que, se não fosse um casinho qualquer, afinal, você há de concordar comigo, ele é um orfãozinho atraente e passou da hora de você arrumar um namorado, só poderia ser mais um dos miseráveis que você atrai para a nossa residência.

Um novo pobre coitado que você teima em ajudar com o nosso dinheiro.

Gabriel esboçou uma careta; talvez jamais tivesse antipatizado tanto com alguém logo de cara.

— Devo te lembrar de que sou professora? — Alice ergueu uma das sobrancelhas, o rosto numa ligeira expressão de desafio.

— E você acha possível esquecer? — O semblante de Judite esboçava um misto de desgosto com algo que parecia vergonha pela sorte da filha.

— Não — respondeu Alice, engolindo em seco. — Sei que não esquece. Portanto, saiba que, caso papai aceite os serviços de Gabriel, pagarei pelo trabalho dele com o meu próprio salário.

— Você ganha uma merreca.

RONC.

— Essa realidade há de mudar. O alicerce do futuro está na educação.

— Não adianta falar que a sua profissão é pouco valorizada, Alice. Fazer discurso de quem luta pelos direitos dos professores... — Judite parou por um instante. O ressoar do sr. Rifólis circulava pela sala, como numa sinfonia. — Não combina em nada com alguém que planeja abandonar o barco e se mandar para a África.

Alice parecia pouco inclinada a querer discutir sua profissão com a mãe. Focou a África:

— A sociedade de Serra Leoa está sendo destruída pela guerra, deixando meninos órfãos e sem escola. Muitos são recrutados à força como soldados. Eu posso ajudar a dar uma nova vida a eles pelos programas de desmobilização —

afirmou ela, com os olhos pregados na cara da mãe. — Se a senhora buscasse se informar e abandonasse as revistas de celebridades — Alice indicou a revista que Judite deixara aberta sobre o sofá —, certamente também se importaria com as atrocidades que ocorrem no continente africano.

— Não é muito diferente no Brasil. — Judite deu de ombros, sem se perturbar.

— Não diga absurdos. Não estamos em guerra civil. No Brasil o clima é de expectativa pela Copa do Mundo. Ninguém parece se importar com amputações injustas em Serra Leoa, mas todos se importam com as lesões do Ronaldo Fenômeno.

— E você quer ir para onde ocorrem tais amputações — disse Judite, ignorando a alusão da filha sobre pão e circo. — Será que criei minha única filha para ser morta e devorada por selvagens?

A expressão facial de Alice não traía seus pensamentos. Ela não conseguia compreender em que mundo a mãe vivia, mas tentou reprimir novas recriminações. Judite dizia coisas extremamente absurdas, e a completa ausência de sensibilidade pelas desigualdades sociais preocupava Alice.

RONC.

— Você deseja me proteger. Eu entendo — disse Alice, com o máximo de calma que conseguiu reunir. — O problema, mãe, é que a senhora cresceu numa bolha. Existe um mundo totalmente diferente *além desta bolha*.

Alice fez uma pausa, refletindo.

— Pensando bem — ela retomou, não conseguindo deter a linha de raciocínio —, tal ideia não funciona como justificativa. Busco entendê-la e não encontro respostas. Estou cansada de andar em círculos, não existe justificativa para o que não tem explicação. Nem mesmo papai, que veio de uma bolha ainda maior, consegue pensar tão egoisticamente.

— Quando você fala em bolha...

— Sim, estou afirmando que vocês vivem em excludentes e nocivas bolhas sociais. É exatamente isso.

Judite respirou fundo, e Gabriel tinha a impressão de que ela se controlava para não esbofetear a cara da filha.

— Desculpe-me. Eu...

— Você não cansa de brincar de ser perfeita? — perguntou Judite.

— Mãe, por favor, eu não quero...

— Você não é a Madre Teresa de Calcutá! — esbravejou Judite, furiosa, e o pai de Alice acordou sobressaltado.

— Céus! O que está acontecendo? — perguntou o pai com a cara amassada.

— Até que enfim você acordou! — Judite virou-se para encarar o marido em tom de repreensão. — A sua filha trouxe este... — Judite parecia hesitar em busca da palavra certa — Trouxe... trouxe este rapaz para cuidar do nosso jardim.

Ulisses murmurou algo inaudível, acomodando-se no sofá lentamente para só depois avaliar Gabriel com seus olhos pequenos. A ruga entre suas sobrancelhas aprofundava-se cada vez mais e ele levou uma das mãos ao queixo, oculto por uma longa barba capaz de cobrir a 25 de Março. Seu rosto era rechonchudo, assim como seu aspecto geral, revelando um quadro de sedentarismo e alimentação desregrada.

— Então... — começou a dizer, sentindo a desarmonia que pairava na sala. — Não sei o que está acontecendo aqui, nem quero assustá-lo, garoto, mas essas duas brigam feito cão e gato, entende?

Gabriel fez um gesto com a cabeça para que Ulisses não se importasse. Estava quase feliz, sentira-se invisível assistindo à discussão de Alice e Judite, que pareciam ignorar sua presença. Perguntava-se se era sempre assim entre elas, uma atropelando a outra. O pai de Alice acabara de sanar sua curiosidade.

— Minha esposa disse que você está aqui para cuidar do jardim.

Gabriel olhou para as duas mulheres, igualmente fortes mas tão diferentes, e fez um gesto afirmativo.

— Quantos anos você tem?

— Dezoito.

— E já possui experiência profissional para tratar de plantas e limpeza de piscina? — perguntou Ulisses, com interesse.

— Aprendi na prática a cuidar de jardins com o jardineiro do abrigo em que vivi.

— Abrigo?

— Antes era conhecido como orfanato.

— Você é órfão?

Era uma pergunta retórica, mas Gabriel assentiu em concordância, apesar do leve incômodo. Judite havia debochado de sua condição. Orfãozinho. Miserável. Pobre coitado.

— Sim, senhor. Eu saí do abrigo há quatro meses e preciso muito trabalhar, mas não possuo outra referência além da que lhe disse.

— Mas sabe tratar de piscina?

— No abrigo não havia piscina. — Gabriel parou brevemente ao ouvir Ulisses murmurar: "Ah, sim. Entendo". — Mas eu aprendo rápido, tenho boa vontade. Pode acreditar.

O pai de Alice estava recostado no sofá, alisando a barba com os dedos. Simpatizara com Gabriel.

— Bom — começou a dizer, alguns segundos depois —, considere-se em experiência. Pode começar hoje mesmo.

— Ulisses! — exclamou Judite.

— Gostei da sinceridade dele.

Gabriel sorriu aliviado. A tensão em seus ombros sumindo como num toque de mágica. Ele transbordava esperança e determinação para ser efetivamente contratado. Não se via inclinado a perder aquela oportunidade e declarou que apresentaria bons resultados.

Transcorridos alguns minutos, Gabriel deixou a sala acompanhado por Alice, que agradeceu ao pai e fez questão de ignorar a mãe.

Judite sentia algo estranho no coração, talvez um prenúncio de tempestade a desabar no caminho da filha. Observando que Alice e Gabriel se entendiam em uma precoce relação de confiabilidade, experimentou o impulso de acionar os guardas do condomínio contra aquele rapaz abusado.

— Você cometeu um grande erro, Ulisses — disse Judite, aceitando um copo de uísque servido pelo esposo. — É o matrimônio com um descamisado que pretende oferecer à nossa filha?

Ulisses esboçou um gesto de incompreensão enquanto inclinava a garrafa sobre o copo que separou para si.

— Do que está falando, mulher?

— Não me admira que não tenha percebido que Alice está balançada pelo orfãozinho, afinal você dormiu durante a maior parte da conversa.

Judite inclinou o delicado recipiente, esvaziando-o em um único trago. Em seguida, virou-se para encher o copo novamente. Precisava beber.

— Fiquei com pena dele. Órfão, sem ninguém no mundo — comentou Ulisses, agora sentado com a bebida em uma das mãos. — Mas não acredito que a nossa filha tenha se interessado por ele. O foco dela é outro. Alice é boa e gosta de ajudar, apenas.

Judite estava de costas para o marido, andava pela luxuosa sala ostentando o belo copo, mas desta vez desfrutava de cada gole, que descia queimando pela garganta.

— Alice realmente não pensa em relacionamentos, tampouco a vejo com amigos — disse Judite, alheia ao esposo, que a observava com uma das sobrancelhas arqueadas. — No entanto, o jardineiro parece que a cativou, embora eu ache que nem ela mesma tenha consciência disso... Por um momento, até pensei que estivessem juntos.

— Bobagem.

— Não gostei do que vi entre ele e a nossa filha, não gostei daqueles olhinhos passeando pelos nossos pertences mais valiosos.

— Ele está em experiência. Talvez nem seja contratado.

— Ulisses deixou escapar um longo suspiro. — Trabalhar com jardinagem exige competência. Envolve lidar com lesmas, caracóis e outros seres desagradáveis. O rapaz vai ter que gostar de colocar as mãos na terra, saber quais são as necessidades do solo, das plantas.

— Nada do que está dizendo faz sentido pra mim.

— Mas é tudo verdade. Suponho que bons jardineiros gostem da sensação da terra sob os dedos e também não sintam nojo das minhocas. — Ulisses levou a bebida aos lábios. — As minhocas são muito importantes — enfatizou, notando que Judite esboçara uma careta.

— Excelente discurso. A filha puxou ao pai. — Ela lançou um olhar de impaciência ao marido. — E eu sigo preocupada com o que chamo de imprudência.

— Concedemos a oportunidade. Veremos como ele se sairá.

São Paulo, 8 de janeiro de 1998.

Gabriel comprovara sua eficiência em lidar com a terra. Na casa dos Rifólis, ninguém fazia comentários desfavoráveis à sua conduta dedicada, uma vez que geralmente ele era visto em afazeres que não se limitavam ao jardim e à piscina. Gabriel também consertava coisas, subia ao telhado para algum conserto, trocava sifão de pia e auxiliava Maria com as sacolas de compras do supermercado.

Atento, sugerira que os patrões comprassem tinta emborrachada para as paredes externas da mansão, a fim de protegê-las com uma película impermeável flexível.

— Evita o surgimento de pequenas rachaduras e protege as paredes contra infiltrações de água — dizia, animado. — Vou corrigir as rachaduras já existentes, refazendo o reboco com massa adicionada de impermeabilizante.

— Amanhã comprarei o material necessário. — Ulisses sorria. Estava satisfeito com seu mais novo funcionário. — Você não contou que também entendia de reformas.

— Ah, aprendi de tudo um pouco com Josias, o jardineiro.

— Um homem fascinante! — exclamou Ulisses.

Judite girava os olhos ao ouvi-los. Ela se recusava a admitir, mas o descamisado se mostrava eficiente. Eficiente até demais!

Gabriel, que num relance flagrou o movimento de olhos da patroa, ficou brevemente desconcertado. Não era novidade que Judite não apreciava a sua presença, porém, sempre que a via, fosse na área externa da casa ou mesmo agora, demonstrando falso interesse pela revista que folheava com seus longos dedos finos, ele sentia que a mãe de Alice o desejava secretamente. Sua antipatia inicial por ela havia se transformado em suave diversão.

— Eu gostaria de conhecer esse tal Josias.

Gabriel tossiu respeitosamente. Esquecera-se da presença de Ulisses.

— Ele é bastante simples, senhor.

— E não há como negar que é um homem interessante para uma condição social de recursos limitados.

Eles continuaram conversando até ouvir a grande porta da sala se abrir.

— Senhores, a dona Irene acaba de chegar.

Maria adentrou a sala acompanhada por uma mulher de meia-idade que apresentava dificuldades de locomoção. Gabriel observou-a com a testa ligeiramente franzida e sentiu a mandíbula endurecer. Sem nenhuma razão aparente.

— Vamos, Gabriel, você precisa clarear a água da piscina, e eu tenho o cafezinho da tarde para preparar — falou Maria em voz baixa, puxando-o discretamente pelo cotovelo. — Ah, antes que me esqueça, a menina Alice pediu que você a encontrasse na casinha. — Maria deu uma piscadela rápida. — Aproveite que a patroa está distraída. Deixe a piscina para depois.

— Obrigado — respondeu ele, com uma expressão inescrutável. Gabriel deixou o recinto sem ser notado pelos patrões e a visita, mas, assim que dobrou o corredor, parou por alguns instantes, refletindo sobre a senhora de nome Irene e sua fragilidade nas pernas. Sentindo-se estranho, mas também temendo que alguém o pegasse ali parado, resolveu acelerar o passo em busca de Alice.

Ele a encontrou no lado de fora da casinha, sentada em uma pedra. Gabriel a cumprimentou com um sorriso largo, sentando-se no gramado, perto o suficiente para que a manga de sua camiseta roçasse em suas pernas. Ambos ficaram silenciosos e constrangidos, pois, além da tensão sexual reprimida nos últimos dias devido à vigilância de Judite e ao trabalho excessivo de Gabriel, eles conversaram poucas vezes.

— Pensei que a encontraria dentro da casinha — disse Gabriel.

— Não sem o consentimento do dono da casa.

— Receio discordar. Sou apenas o funcionário que a ocupa no momento.

— O que não me dá o direito de adentrá-la sem a sua permissão. — Ela virou-se para olhá-lo nos olhos. — Mas... quero conversar com você sobre algo de caráter mais urgente. Estou de mudança. Amanhã viajarei para o continente africano.

— Ah... Você vai mesmo.

Gabriel trabalhava para Alice havia dois meses, um período consideravelmente curto para falar de sentimentos, mas tinha medo por ela e também era estranho se imaginar longe dela.

— Nunca pensei em mudar de ideia — respondeu ela, revelando angústia, mas também denotando a certeza de quem sabia o que estava fazendo. — Sei que não me é indiferente e desejo que acredite na reciprocidade dos meus sentimentos. Pensar que não poderei vê-lo por tempo indeterminado me entristece.

Gabriel recuou um pouco. Acreditava que seus sentimentos por Alice estivessem protegidos, separados em um canto qualquer longe da percepção dela. Claro que ele era encantado por ela, a própria Maria percebeu, mas Gabriel jamais dera abertura para que Alice tivesse certeza. Pelo menos, acreditava que não.

— Nós nunca conversamos sobre os nossos sentimentos. — Ele franziu a testa. — Bom, mas... Então... — voltou a dizer devagar, temendo parecer precipitado. — Você falou em reciprocidade...

Alice não o deixou concluir a frase e inclinou a cabeça para encostar-se à dele. Por um instante eles apenas ouviram a respiração um do outro. Palavras não eram necessárias. Até que ela falou:

— O problema é que não posso desistir da viagem, mesmo consciente de que estarei minando as chances de ficarmos juntos.

Gabriel estendeu a mão em busca da dela, segurando-a firmemente e mantendo seus rostos ainda muito próximos.

— E se eu pedir que fique?

— Eu... não posso — respondeu Alice com dificuldade, o ar parecendo estagnado. — Não posso ficar. Não pense que está sendo fácil pra mim.

Os olhos de Gabriel buscaram os dela e desviaram vagarosamente para a boca. Tentando encontrá-la no amor plenamente vivido, ele a beijou suavemente nos lábios pela primeira vez. Afastando-se devagar, olhou-a no fundo dos olhos, e, quase no mesmo instante, ela retribuiu o beijo.

Tudo desapareceu naquele momento. Diferenças de classe, o continente africano, a lembrança da ex-namorada. Nada parecia importar enquanto ele sentia a maciez dos lábios dela, o cheiro de sua pele e os cabelos macios em suas mãos.

Ela então recuou.

— Meus pais podem nos ver.

Gabriel segurou uma das mãos de Alice, notando que ela ruborizava.

— Não vai ser sempre assim, eu como um simples empregado e você...

— Não diga nada. — Alice passou a mão livre pelo rosto dele. — Por favor.

Alice sorriu timidamente, e Gabriel a convidou para entrar na casinha. Ela pareceu hesitar, mas decidiu acompanhá-lo, convencida de que seria melhor para ambos.

Ao entrarem, Gabriel notou que ela se comportava como visita. Alice realmente levava a história da casa a sério.

— Sente-se na cama, se achar mais confortável — disse ele, um pouco sem jeito. — Eu vou tomar um banho rápido. Tudo bem pra você?

Alice olhou para a cama e depois para Gabriel. Podia passar a noite nos braços dele, a cabeça repousando em seu ombro.

— Tudo bem, sim.

— Vou te encontrar aqui quando terminar?

— Quem sabe? Talvez sim, talvez não... É só não demorar.

Ele sorriu, entrando na brincadeira.

— Até breve.

Minutos depois, Gabriel apareceu descalço, com uma toalha branca felpuda enrolada na cintura. Ele era magro e, devido ao trabalho diário, fortalecera os músculos dos braços. Seu peito, com poucos pelos, entregava sua juventude, assim como o abdômen. Alice já o vira limpar a piscina com short e regata, mas agora o coração dela batia feito tambor em escola de samba.

Notando a linguagem corporal de Alice, Gabriel experimentava sentimentos desencontrados, não conseguindo distingui-los ao certo. Alice desejava-o, ele tinha certeza, mas o que ela pretendia?

Ele passou as mãos no cabelo molhado, bagunçando-os ainda mais. Não queria atacá-la feito um animal irracional. Tê-la em sua cama era algo feito fogo e gasolina.

— Não me acostumei à ideia de ter um banheiro somente pra mim — Gabriel começou a falar para quebrar o silêncio. — Sempre lhe serei grato pelo emprego.

— Você conquistou o meu pai — disse ela com humildade. — É questão de mérito.

— Não acho isso.

— Não?

— Sim... Não! Não se trata de mérito. Desculpe-me por ter confundido as palavras — respondeu ele, agitando as mãos, loucas para tocá-la. — Você não me conhecia, não tinha por que me oferecer nada.

Ela riu sem jeito, e Gabriel se sentou na cama para ficar mais perto. Um pouco mais sério, perguntou:

— Não vai sentir falta da família?

— Sentirei, sim. — Alice afastou uma mecha de cabelos dos olhos e fez um gesto indicativo para a janela. — Você conheceu a sra. Irene?

— Não necessariamente, ela entrou na sala e logo saí para encontrar você — respondeu ele, um pouco incomodado. A figura da senhora ainda mexia com ele. — Por quê?

— Gosto muito dela. — Alice respirou profundamente, e seu semblante naturalmente maduro adquiriu contornos mais sérios. — Ela pertence à alta sociedade paulistana e não perde tempo com besteiras, como a minha mãe. Também tenho fortes motivos para pensar que auxilia algumas ONGs sem o conhecimento das pessoas. Ela socorre quem quer que seja de coração aberto, não por vaidade.

Alice parou de falar enquanto amarrava seus cabelos em um rabicó.

— Ela me apoia desde o começo. Gostaria de conhecer sua opinião sobre ela.

Alice fez uma nova pausa, suspirou fundo e finalizou:

— Não me inspiro nos meus pais, especialmente na minha mãe. Sei que é triste, mas é a verdade.

Gabriel apoiou as mãos cruzadas no queixo; sentia-se desconfortável. É doloroso não se orgulhar das próprias raízes e se ver buscando referências em outras pessoas. Acreditava que alguém bem-nascido como Alice não precisasse buscá-las fora do próprio lar. Entretanto, não lhe parecia justo opinar sobre o caráter de alguém que ele definitivamente não conhecia.

— Ela me pareceu frágil. A Irene. O que aconteceu com as pernas dela? — perguntou Gabriel.

— Ah, é uma história triste.

No ano de 1983, Irene recebeu um telefonema do sr. Rifólis informando-a de que um acidente de carro levara a vida do seu marido. Ela estava nos Estados Unidos e sofreu um AVC. Ulisses se desesperou ao ouvir o barulho da queda e depois o silêncio absoluto no outro lado da linha. Ele fez outras ligações internacionais, e funcionários do Plaza Hotel, em Manhattan, onde Irene estava hospedada, encontraram-na inerte no chão do quarto. Irene passou meses em coma e ficou com sequelas. Se hoje consegue andar, mesmo que cambaleando, é graças às sessões de fisioterapia.

— Eles não tiveram filhos?

— Um menino de quatro anos que também morreu no acidente. Ela soube quando saiu do coma por intermédio da irmã, Catarina.

— Seu pai não contou sobre o menino?

— Não deu tempo.

— Entendo.

A luz na casinha se tornava cada vez mais fraca. Deve ter sido horrível para Irene sair do coma e receber outra notícia igualmente dolorosa. Isso o fazia se sentir desconfortavelmente tocado pela infeliz história daquela mulher. Sem saber o que dizer, Gabriel tentou raciocinar rápido, longe da esfera da emoção.

— Eu acho... — Ele se endireitou, sem concluir a frase. Será que Alice o desaprovaria? Mas ela o olhava, esperando que continuasse. — Eu acho que no lugar da sua amiga eu teria adotado uma criança.

Alice o encarou sem entender, as sobrancelhas franzidas num sinal de interrogação.

— Não quero parecer um babaca — antecipou-se, cauteloso —, mas desde o AVC essa senhora vive uma vida de entrega às pessoas. — Gabriel esperou um pouco antes de continuar. Queria ter certeza de que Alice o compreendia. — Porém, adoção é algo que não ocorreu a ela nem mesmo ao perder a própria família. Crianças mofam nos abrigos. Você sabe que é verdade.

Alice ficou em silêncio. Imaginava que para quem perdeu tudo não era tão simples "colocar outro alguém" na vida. Para Irene, tal ideia, se é que ela a cogitara, talvez soasse como substituição dos afetos bem-amados, por mais insubstituíveis que fossem.

Notando que algo de natureza subjacente não estava se manifestando, Alice se moveu delicadamente na direção de Gabriel.

— Ei, não acho que você seja babaca — murmurou, tocando-o no braço. — É o seu ponto de vista. Fico feliz por compartilhar.

— Você não entende — respondeu ele, corando. E como entenderia? — Você partirá amanhã. Eu ficarei. Caramba! Não quero ofendê-la, mas na real ninguém se importa o suficiente. Nem mesmo sua ídola inspiradora.

Alice mordeu os lábios. A mente dele orbitava numa esfera complexa de autocomiseração.

— Perdão. — Gabriel engoliu em seco, não querendo dizer como se sentia sobre abandonos. — Não sei por que estou sendo crítico com essa mulher. Não a conheço, e nada disso faz sentido para mim. — Ele encarou Alice, um pouco triste. — Não faz o menor sentido — voltou a repetir, mais para si mesmo. — E não importa também.

— Tem certeza de que não importa? — perguntou Alice, acariciando o cabelo dele.

— Sei lá, você acha que faz sentido?

— Desde que eu me coloque no seu lugar.

— Você não está no meu lugar.

— Empatia. Não é muito difícil quando a exercemos.

Gabriel cerrou os lábios.

— É melhor você voltar para a casa principal. Anoiteceu — disse ele pouco tempo depois.

— Eu não vou a lugar algum.

Eu não viajarei era o que ele gostaria de ter ouvido, mas no momento se contentava com aquela resposta. Respirou fundo e tomou Alice delicadamente pelos braços, aconchegando-a ao encontro do calor do seu peito.

Alice se afastou devagar e segurou o rosto dele entre as mãos, virando-o lentamente para o lado, permitindo que seus lábios tocassem a sua palma. Ela estremecera ao calor do toque, e Gabriel ergueu os olhos para encará-la. Em seguida, ele depositou um beijo terno na palma dela.

Timidamente, Alice colocou as mãos dele ao redor de sua cintura e o puxou para mais perto, permitindo que seus lábios se tocassem, sem se abrirem. Com olhos fechados, Gabriel deixou suas mãos percorrerem os contornos de Alice, e, quando ambas se voltaram para a frente, espalmaram-se no peito da jovem, que subia e descia rapidamente. Gabriel abriu os olhos e a examinou atentamente, contemplando a rigidez nos bicos dos seios sob a blusa.

— Posso? — perguntou num sussurro quase inaudível.

Alice depositou um dedo em seus lábios e com a outra mão guiou a dele até seu seio. Gabriel acariciou o mamilo de leve e a beijou na boca, deitando-se sobre ela.

—◆—

Era madrugada quando Gabriel acordou com Alice se mexendo ao lado dele, ressonando. Esboçando um sorriso de satisfação, ele afastou as mechas longas do cabelo dela e a observou, encantado: ela estava bela, como a Bela Adormecida.

Gabriel rememorou, suspirando, que Alice arqueava o corpo em resposta ao seu toque, o calor no ventre crescendo e se alastrando, numa demonstração clara de entrega.

No início, ela estava levemente tensa, então ele se esforçou para agir o mais devagar que pôde, murmurando palavras de carinho enquanto a cobria com o calor do seu corpo, sendo então dominado pela onda de prazer que lhe roubara os resquícios do pensamento lógico. Ele tomara posse daquele corpo, a sublime prova de amor que recebera de Alice.

Lembrar-se desses momentos recentes, com Alice diante dele, fazia seu coração bater forte e o deixava perfeitamente pronto para amá-la novamente. Mas Gabriel não queria acordá-la e escolheu se levantar da cama, cobrindo-se com um cobertor.

Ele caminhou até a janela aberta, segurando-a na borda para respirar o ar da noite. Tudo estava escuro ao redor, exceto pela luz do luar, e Gabriel ergueu os olhos ao céu, fixando-se no brilho de algumas poucas estrelas. Seu pensamento voou na direção de Natasha, cujo coração ele amara e respeitara, mas que o machucara.

Gabriel fechou os olhos com esforço e soltou a borda da janela, virando-se para dentro da casa em busca daquela que lhe entregara o corpo macio e também a alma elevada.

Os olhos dele ainda não haviam se ajustado à escuridão e a luz do luar era fraca, mas ele conseguiu visualizar a forma e os contornos de Alice. Deitou-se por trás e a abraçou fortemente, encaixando-se entre suas pernas. Ela emitiu um murmúrio:

— Não sei se aguento...

Gabriel riu.

— Está arrependida?

— É um pouco tarde para arrependimentos, não? — disse Alice, virando-se para olhá-lo. — Mas a resposta é *não*. Não me arrependo nem um pouco.

— Eu também não — murmurou ele, beijando o ombro dela com ternura.

Alice ofereceu os lábios e ele os beijou, explorando sua boca suavemente com a língua. Delicadamente, Gabriel subiu por cima e abriu as pernas dela com o joelho.

— Eu vou voltar para você — sussurrou ela, depositando uma das mãos no rosto dele.

Gabriel deslizou-se para dentro em resposta e a ouviu murmurar:

— Você é o amor da minha vida.

— ◆ —

De manhã, Gabriel acordou inseguro e não conseguia relaxar, sabendo que Alice partiria em breve. Ela falava sobre Serra Leoa com entusiasmo, mas ele ficava cada vez mais incomodado.

— Estou curiosa para conhecer o campo de reabilitação.

— Posso imaginar.

— É inadmissível que crianças portem armas, prestem favores sexuais ou vivam a fugir, esfomeadas e apavoradas. — Alice levou uma xícara de chá aos lábios. — Isso é violação dos direitos humanos.

— Sim, você já me disse. — Gabriel limpou a boca com um guardanapo. Sentia-se enjoado. — Mas e agora? O que pretende fazer?

— Sozinha não conseguirei pôr fim à guerra civil. Os diamantes alimentam interesses mesquinhos de pessoas que enriquecem na ilegalidade e...

— Alice — interrompeu Gabriel, parecendo cansado. — Eu me referia a nós dois.

— Como?

— Você disse que me amava.

Ela apoiou os cotovelos sobre a mesa.

— Razão pela qual estou aqui — disse Alice.

Gabriel suspirou, jogando-se contra a cadeira.

— Você não pode ir para a África. Não depois dessa noite. Você sabe.

— Pense no que está me pedindo. Foram anos de planejamento.

— Não suporto imaginar você... — Ele virou a cara, então continuou: — dividindo todas as suas horas com essa gente, vivendo a possibilidade de conhecer outra pessoa.

— De repente me tornei alguém que decide passear pela guerra e quiçá arrumar um namorado por lá. — Alice parecia magoada. — Não é verdade.

— Tente entender. Você diz me amar e não muda de ideia.

— Eu tenho que mudar de ideia pra te amar?

— Você não compreende, ou não quer compreender.

— Gabriel...

— Tudo o que me diz é *não*.

Ela ergueu o olhar para ele, desapontada.

— Não posso desistir agora. É muito importante para mim. Pensei que soubesse.

— Alice... — Gabriel se sentia imprudente, mas não conseguia conter as palavras. Estava nervoso. — Posso ter a mulher que eu quiser. Mas com você não quis apenas sexo. Talvez essa seja a grande diferença entre nós.

Eles se olharam em silêncio. Não pareciam duas pessoas que haviam acabado de trocar juras de amor. Alice ia falar, mas desviou o olhar de Gabriel ao ouvir batidas na porta da casinha.

— Estou contente por vocês — disse Maria, um tanto invasiva, olhando a cama bagunçada e as peças de roupas espalhadas pelo chão.

— Não é o que está parecendo — replicou Alice, embaraçada. Ela vestia uma camiseta masculina do Nirvana.

— Nada aconteceu — enfatizou Gabriel, mas em seguida se deu conta de que sua camiseta, sendo a única peça que Alice usava naquele momento, dava razão ao observador mais atento.

— Sua pele está linda, minha pequena — elogiou Maria, claramente não dando ouvidos ao que eles diziam.

— Estou ficando envergonhada.

— E eu feliz por vê-la *viver*!

— Maria — interrompeu Gabriel abruptamente. O tempo corria, e Alice permanecia determinada a viajar. Ele tinha que impedi-la. A presença de Maria o atrapalhava. — O que faz aqui tão cedo?

— Ah, sim, bem, é que você se esqueceu da piscina. A água está turva, e a endemoniada da Judite... — Maria olhou para Alice, mas a moça, ciente de que a mãe cavara a própria cova entre os criados, limitou-se a um gesto de compreensão. — Então, como eu dizia, a dona Judite pode cair de pau em cima de você.

— Pensei que a piscina pudesse "ficar para depois" — replicou ele, ignorando-lhe as boas intenções.

— Sim, mas não até esta hora.

— Faltou me comunicar — disse Gabriel. Seu tom era pesado, e Alice virou-se para ele.

— Não fale assim com ela. Como funcionário responsável pela piscina, é sua obrigação saber que a limpeza não deveria esperar.

Encararam-se por poucos segundos e então desviaram o olhar. Gabriel sentia-se humilhado. Eles haviam passado a noite juntos e agora recebia ordens dela. Era novamente escravo das formalidades. Sorriu sutilmente.

— Com licença, dona Alice — disse Gabriel. E encaminhou-se depressa para fora, deixando Alice desconcertada. Ela se virou para Maria.

— Ele está chateado por causa da viagem — disse Alice.
— Não leve para o lado pessoal.

— É a primeira vez que o vejo assim. — Maria franziu o cenho, olhando para as costas de Gabriel, agora um pouco distantes. Ela então se virou para Alice. — Não deixe de realizar seu sonho, tudo bem?

— Fique tranquila.

— Você acha que consegue tomar outro café da manhã? Estou terminando de colocar a mesa para os seus pais.

— Não tenho muito escolha — respondeu Alice. — Eles não sabem que partirei hoje. Tenho que comunicá-los.

— ◆ —

— Você o quê? — perguntou Judite, incrédula, segurando o pão em uma das mãos e a faca com a manteiga na outra.

— Não vou repetir. Você entendeu.

— Como foi capaz de nos apunhalar pelas costas?

Judite pousou o pão sobre a mesa e manteve a faca na mão. Ulisses adotara uma expressão impassível, limitando-se a um olhar cauteloso para a esposa.

— Jamais escondi o que faria. Só não comuniquei a data por saber que a senhora faria um escarcéu.

Ulisses fitou Judite de esguelha e tossiu. A esposa acabara de fincar a faca no pão.

— Você ainda não me viu fazer escarcéu! — disse Judite.

Ulisses retirou a faca do pão, numa manifestação muda de reprovação, que de nada adiantou. Judite continuou batendo boca com a filha:

— Se você continuar com essa sandice, nós nunca mais a reconheceremos como filha!

— A senhora não está me ouvindo? — perguntou Alice em tom de impaciência. — Eu vou, já está decidido!

Judite emitiu um grunhido, feroz como o de um tigre enjaulado.

— Não é saudável discutir durante as refeições — disse Ulisses, levando uma xícara de chá aos lábios, fracassando na tentativa de apagar o incêndio.

— Sim, estou ouvindo, mas ouça você também: considere-se deserdada! Não permitirei mais que use o nosso dinheiro para essas besteiras filantrópicas!

— Judite, você não pode deserdar a nossa filha.

Mas as palavras de Ulisses foram novamente ignoradas.

— É perturbador que você só pense em dinheiro. — Alice era só decepção pela mãe, mas ainda assim reuniu forças para continuar: — Eu trabalho e estou bancando essa viagem com as minhas economias. Não lhe devo nada, e a senhora não pode me chantagear.

— Filha ingrata! Você me deve a oportunidade de viver!

— E a senhora tem vocação para o drama. Nunca pensou em fazer teatro?

— Drama? Você mora conosco e não contribui com uma conta de luz, água, supermercado! Se não morasse nesta casa, usufruindo do bom e do melhor, não teria conseguido economizar um centavo deste trabalho miserável como professora.

— Como a senhora pode ser tão mesquinha?

Ulisses respirava fundo, cabeça baixa e cotovelos apoiados sobre a mesa.

— Apenas exijo justiça e quero o dinheiro que nos deve pela hospitalidade de todos esses anos! — determinou Judite.

Então tudo aconteceu muito rápido. Alice soltou uma gargalhada involuntária e Judite deu a volta pela mesa para bater na cara dela. A filha se levantou cambaleante, com as mãos no rosto, pálida e assustada. A mãe mais parecia uma bruxa descontrolada, que minutos antes estava armada com uma faca. Elas se encararam com rancor até que o barulho de algo sendo quebrado dispersou a atenção delas. No chão jaziam os cacos de uma xícara quebrada. Ulisses estava de pé, apoiando as mãos na borda da mesa. Seu olhar era frio como a ponta de um iceberg.

— Sim, eu estou aqui. — Os cantos de sua boca tremiam, e ele se virou para Alice. — Você não está deserdada — soletrou cada palavra. — Mas não quero conversar com você, filha. — Ele engoliu em seco. — Não a deserdo por reconhecer que tem direitos perante a lei. — "E porque te amo", pensou ele, mas não disse.

— Pai... — murmurou Alice, com olhos lacrimejantes.

— Nem uma palavra!

Judite emitiu um som de indignação e partiu para cima do marido, que a segurou fortemente pelos braços, esforçando-se para contê-la.

Alice abandonou a copa, correndo e batendo portas. Ela se jogou na cama aos prantos. Lágrimas enevoavam-lhe os olhos e desciam pelo rosto, molhando a fronha do travesseiro. Seu coração sensível estava estraçalhado. Herança, bens... Nada disso importava perto do que ela desejava.

Transtornada, um pensamento ocorreu a Alice, e ela se questionou se ir para Serra Leoa não era algum tipo de capricho, uma maneira inconsciente de dizer a si mesma que não era igual aos pais. Como se o universo lhe respondesse às dúvidas, uma borboleta azul adentrou o quarto pela janela entreaberta e pousou em seu ombro.

Ela não soube como explicar, mas a partir daquele momento se sentiu minimamente confortada, entendendo que os pais não tinham discernimento acerca dos deveres que lhe competiam e que ela deveria respeitá-los, uma vez que, perceptivelmente, ela era portadora de maior grau de compreensão.

Alice suspirou, e a borboleta voou até o parapeito da janela, livre. Como ela nasceu para ser.

—◆—

Ainda faltavam doze horas para o voo, mas Alice escolheu esperar no aeroporto. A discussão no café da manhã reforçara o pensamento de que ela deixara de ser bem-vinda na casa. Não havia espaço para "a filha pródiga", como bem dissera a senhora sua mãe no auge da confusão.

Sem qualquer alarde, como numa jornada silenciosa e solitária, ela procurou Maria na cozinha e a abraçou.

— Apenas peço que tome cuidado. Ouvi no rádio que ocorre um conflito civil por aqueles lados.

— Não se preocupe, Maria — respondeu Alice com um sorriso de canto. — Vai dar tudo certo. Sou grata pelo seu apoio.

Um pouco nervosa, Alice retirou um bilhete do bolso da calça jeans.

— Preciso que entregue ao Gabriel. Por favor. É muito importante que ele receba.

Maria arregalou os olhos, espantada.

— Você não vai se despedir dele?

— Ele até admira o que estou fazendo, mas, como os meus pais, não quer que eu vá. Não quero viajar brigada com ele também.

Maria coçou a cabeça.

— Ele estava nervoso de manhã. Você tem certeza?

— Tenho, sim.

— Bom, ele não está por aqui agora. Saiu com o seu pai para comprar um material — disse Maria, resignada, mas logo mudou de assunto: — Ô, meu amor, como é difícil me separar de você! — E abraçou Alice.

São Paulo, 10 de janeiro de 1998.

Gabriel gemia na cama, lábios visivelmente contraídos e a testa banhada pelo suor. Seu ombro direito estava deslocado. Na mão esquerda constava o bilhete de Alice amassado. Ele sentia vontade de rasgá-lo, mas optou por destroçá-lo lentamente, brincando com a bolinha que fizera dele.

No dia anterior, Gabriel acompanhara o sr. Rifólis na compra da tinta emborrachada, retornando horas depois porque Ulisses não se imaginava pegando metrô. O patrão optou por perder tempo no trânsito congestionado da capital. Pelo menos estava no ar-condicionado, dizia ele.

Ao chegarem, Gabriel não encontrou Alice e procurou por Maria, desejando que seu temor não fosse notado por ela, que, ao contrário dele, não fazia o menor esforço para esconder os próprios sentimentos. Maria estava chorosa e, sem falar muito, entregou o bilhete de Alice a Gabriel.

Ele se afastou em direção ao jardim segurando o papel dobrado, que pesava horrores, a julgar pelo caráter simbólico.

Sentado na pedra em que beijara Alice pela primeira vez, um filme passou em sua cabeça, fazendo com que Gabriel não prolongasse aquela angústia por mais tempo. Ligeiramente aborrecido, desdobrou o papel, e a letra de Alice surgiu diante de seus olhos, bela e forte, escrita à caneta:

> Meu amor,
>
> Você é a melhor coisa que aconteceu na minha vida. Tenho verdadeira gratidão por você existir. Entreguei-lhe a chave do meu coração. Espere por mim.
> Com amor,
>
> Alice
> 09/01/1998

Gabriel permaneceu com os olhos fixos no bilhete, desejando que novas palavras surgissem. Engoliu em seco. Ela não se despediu dele. Não se importava com ele suficientemente.

Ele virou o papel, buscando por mais palavras. Nada. Absolutamente nada. Não aceitava o que estava acontecendo. Não acreditava em amor de pedaço de papel. Sentia-se usado, um pedaço de carne que saciara o desejo dela.

Ele então se levantou da pedra e avançou para cima de uma árvore com toda a força, ouvindo instantaneamente o som de algo saindo do lugar.

Gabriel caiu pesadamente, feito uma jaca despencando de uma jaqueira, de joelhos no gramado, agonizando.

— ♦ —

O sr. Ulisses adentrou a casinha acompanhando um homem vestindo branco, e Gabriel experimentou um misto de alívio e apreensão. O patrão apresentou o médico, dr. Amaury, e avisou que o chamara para socorrê-lo.

Gabriel assentiu com a cabeça num gesto de gratidão. Não conseguia articular nem uma frase. Perguntava-se por que o pai de Alice parecia tão calmo mesmo depois da partida da filha.

— A lesão é bem simples, seu ombro está levemente deslocado, mas ainda bem que você não tentou recolocá-lo no lugar sozinho — disse Amaury, resgatando Gabriel de seus devaneios. — Estou sentindo a sua circulação, posso...?

Gabriel fez um gesto positivo com a cabeça, autorizando o médico a seguir com o que quisesse. Talvez Ulisses soubesse que a filha daria seguimento àquilo, independentemente de sua aprovação. Isso explicaria aquela calma toda.

Amaury curvou o braço de Gabriel com um movimento suave, fez a rotação do cotovelo e empurrou o braço para cima.

— Pronto! Agora deixe o braço imobilizado, se possível, porque o ombro ainda requer cuidados. Mas, bem... — Amaury cruzou os braços antes de prosseguir. — Quando mais novo, quebrei uma perna por me envolver em brigas. Podemos evitar esse tipo de sofrimento, não é mesmo?

A imagem de Alice se esvaneceu da mente de Gabriel. Ele não gostou da observação do dr. Amaury. Sentiu-se invadido, fiscalizado. Seu oponente não passava de uma árvore. Ele não havia se envolvido em brigas, mas, reconhecendo a presença de Ulisses, Gabriel limitou-se a agradecer:

— Obrigado, doutor. Graças ao senhor estou sentindo meu ombro novamente. Obrigado também pelo conselho.

Gabriel abriu um sorriso pouco convincente, e Ulisses convidou o médico para beber um copo de uísque em comemoração ao sucesso do procedimento. Eles seguiram para a casa principal e Gabriel permaneceu deitado na cama, voltando a remoer os acontecimentos recentes.

O bilhete amassado numa bolinha já estava em processo de desintegração. Não era possível ler muita coisa ali. A tinta da caneta havia desbotado consideravelmente, mas, observando com maior atenção, Gabriel pôde ler com extrema dificuldade o pedido "espere por mim". Com um grunhido, levantou-se da cama em direção ao banheiro, jogou os restos do bilhete no vaso sanitário e acionou a descarga.

— Não conte com isso.

*Quem nunca sofreu pela ausência de alguém?
Por algumas pessoas, você vive de luto para sempre...*

São Paulo, janeiro de 1999.

Nada como a boa distância de um ano e alguns meses. Com grande dificuldade, entre momentos em que sua decisão oscilava muito, Natasha escolheu levar a gravidez adiante. Para ela, a filha também era vítima de uma desgraça, e foi o amor pela bebê que a ajudou a seguir em frente. Ela ainda tinha pesadelos com Xavier, assustava-se quando desconhecidos esbarravam nela, e o toque dos homens, mesmo o mais sutil e despretensioso, deixava-a em estado de alerta. Mas a filha era como uma flor que brotara em solo árido. Rara. Bela. Especial. Serena modificou a percepção de Natasha, ensinou-a a enxergar a luz em meio à escuridão.

Em conversas com dona Teresa e Josias, Natasha revelava que futuramente pretendia contar a verdade a Serena, frisando que a filha não deixava de ser fruto do amor que ela sentia pelo ex-namorado. Na tentativa frustrada de Natasha de salvar Gabriel, Serena surgiu para salvá-la do trauma vivido com Xavier. Ela se emocionava ao interpretar os acontecimentos por essa ótica. Era um misto de alegria e gratidão, mas também de tristeza e culpa.

— Minha querida, você esteve diante de um oponente que abusou de sua ingenuidade e nobreza de coração — dizia dona Teresa. — Como pode se culpar tanto?

— Eu não ofereci resistência, não gritei. Deveria ter lutado contra ele.
— Ele era bem mais forte que você.
— Foi horrível.
— E você sobreviveu. É mãe de uma menina linda, está cercada de pessoas que a amam.
— Mas Gabriel desapareceu sem dar notícias, minha boa Teresa. É evidente que não me perdoou.
— Ele sabe que você foi vítima de uma violência.
— E desapareceu quando neguei sua ajuda. Sei lá. Talvez acredite que eu tenha tido um caso de amor com Xavier. Sinceramente, não sei mais o que pensar. Nada faz sentido.
— Você está se cobrando muito, Natasha. Você tinha acabado de ser violentada.
— Não consigo deixar de me responsabilizar pelo desaparecimento dele.
— Escute-me: na vida, as pessoas se desentendem pelos mais diversos motivos. Minha experiência, boa menina, alerta que somos seres passíveis de erros e que julgar é uma conduta viciosa do ser humano. Devemos seguir nosso caminho independentemente da opinião das pessoas, respeitando nossos limites e também os dos outros. Somos responsáveis por nossos pensamentos e atitudes, não pela forma como os outros nos interpretam. Em caso de erro, devemos reconhecê-lo, não errando novamente, mas solicitando o perdão, e mesmo quando não formos perdoados por quem magoamos, é fundamental que nos perdoemos. Gabriel, por exemplo, não deu notícias a nenhum de nós. Eu e Josias já estamos velhos e também sentimos falta dele — dona Teresa comentou com tristeza, mas, reerguendo-se rapidamente,

retomou a palavra: — Não cabe a ninguém julgar os seus sentimentos, filha. Liberte-se dessa culpa, não seja escrava da incompreensão alheia, fique em paz e harmonia com a sua consciência.

— É difícil internalizar todos os seus conselhos, mesmo sabendo que é o certo a fazer — explicou Natasha, em tom de lamento. — Fico revivendo o momento em que ele precisou fugir do abrigo por minha causa.

Natasha não conteve a emoção e dona Teresa a abraçou, dizendo com voz acolhedora:

— Acredite no tempo, sábio condutor das leis que regem o universo.

Dona Teresa, assim como Josias, preocupava-se com Gabriel e o abandono que Natasha vivenciava, mas, agindo com prudência e clareza de raciocínio, eles não dividiam suas inquietações com ela, para não fragilizá-la ainda mais. Acreditavam que Gabriel mergulhara de vez no mundo da rebeldia e do orgulho desmesurado e entregaram o futuro nas mãos do destino.

A essa altura, Teresa, Josias, Natasha e Serena formavam uma família unida pelos laços mais sagrados do coração e da afinidade. Dona Teresa continuava dando assistência aos órfãos, revezando seu tempo entre o abrigo e a modesta casa de Josias. Natasha havia decidido trabalhar como doméstica assim que Serena completasse dois anos, a fim de auxiliar Josias com as contas da casa.

— ♦ —

Paralelamente, Gabriel seguia rumos opostos, despertando para as ilusões e as facilidades materiais. Esquecendo Alice e Natasha, as duas garotas que o amavam, o jovem focara o trabalho que lhe era designado, conquistando a confiança total de Ulisses, que assumira a responsabilidade por seu salário.

Gabriel estava ganhando três vezes mais do que quando começou a trabalhar na casa dos pais de Alice. Uma vez dentro da casa daquela família elitista, passou a receber olhares convidativos e provocantes de damas da sociedade, terminando a noite, quase sempre, com uma delas no aconchego da cama, ao sabor de bebidas caras.

Essas mulheres, escravas das aparências, frequentavam reuniões proporcionadas por Judite. A mãe de Alice costumava preparar encontros ao final da tarde para suas amigas da sociedade paulistana, senhoras casadas e de hábitos viciosos que correspondiam à afeição sedutora e impetuosa do belo rapaz.

Gabriel era uma sombra do que fora um dia. Suas naturais inclinações e a desconfiança oriunda das rejeições vividas moldaram-lhe o caráter quase que por completo, e, como o orgulho precede a queda, resolvera investir no pedaço de carne que julgava ser, no desejo que despertava nas mulheres, na violenta paixão pelo dinheiro, que não mais lhe faltaria, pois agora ele estava no comando e negociava com elas, ganhando roupas, relógios, perfumes, calçados e até mesmo joias em troca de algumas horas de prazer.

Muitas delas desejavam legalizar a relação, largando seus maridos gordos e repulsivos, mas Gabriel rejeitava a ideia, sem a menor vontade de ser algo mais, não desenvolvendo o mínimo de sentimento por qualquer uma delas, o que acentuava ainda mais a sua queda moral.

Entretanto, ele tinha uma cliente mais assídua, a mulher com quem ele jamais deveria ter se envolvido, a esposa do seu patrão e mãe daquela que o tirara das ruas.

— Você é *meu* — disse Judite, deitada de barriga para baixo, uma mão acariciando o mamilo dele num movimento circular. — Não gosto de dividi-lo com outras.

Gabriel riu, envaidecido.

— Penso que ninguém é de ninguém, senhora. — Ele se virou, inclinando-se para beijá-la nos lábios. — E não podemos esquecer — começou a dizer, recostando-se novamente no travesseiro — que você pertence à alta sociedade e eu sou alguém de "recursos limitados" — concluiu ele em uma alusão irônica à forma de falar do sr. Rifólis.

— Você me oferece muito mais — argumentou ela com olhar lascivo, compreendendo a conotação da fala dele.

Gabriel riu gostosamente, achando graça naquilo.

— Ulisses é um idiota — completou Judite friamente, esticando o braço direito até a mesa de cabeceira para alcançar o maço de cigarros que havia deixado ali. Ela acendeu o cigarro e o tragou avidamente, soprando uma espessa nuvem de fumaça, desejando afugentar a lembrança desagradável do marido. — Ele não é como você — finalizou sombriamente, levando o cigarro novamente aos lábios.

— A conta bancária do seu marido não é algo irrelevante, afinal.

Judite quis rir e engasgou, tossindo um pouco.

— Não, não é — concordou Judite quando conseguiu falar. Seus olhos lacrimejavam, e ela esboçava um sorriso de canto, quase oculto pela fumaça dançante diante de seu rosto. — Casei-me por esse detalhe.

— Pois bem — suspirou Gabriel, retirando o cigarro das mãos dela para uma tragada —, então é melhor continuarmos como estamos, não acha?

— Pode ser, mas não gosto de dividi-lo com outras.

— As *outras* — frisou ele, virando-se para liberar a fumaça — são suas amigas.

— Amigas? — perguntou ela, rindo ironicamente. — Um bando de fofoqueiras, mulheres fúteis, sem vida própria pra cuidar. Irrita-me profundamente vê-las descendo os olhos pelo seu corpo. Você deveria ser mais comedido.

— Mais comedido, eu? — questionou Gabriel, achando graça, rindo da descrição que Judite dera às amigas. Ela não era diferente, e, para ser franco, pensou Gabriel, madame Irene era a única figura aparentemente respeitável que frequentava aquela casa. Sem mencionar o fato de que jamais participava das reuniões na mansão e o tratava com cordialidade e certo carinho, algo que o tocava por não sugerir segundas intenções.

— Sim — respondeu Judite mais séria, recuperando o cigarro quase no final e fazendo com que Gabriel voltasse de seus devaneios. — Você fica passeando sem camisa na frente delas.

— Estou limpando a piscina, nada mais.

Judite deu uma última tragada e despejou a bituca dentro de uma latinha vazia de cerveja. Rápida como uma leoa, ela avançou para cima de Gabriel.

— Você sabe que provoca aquele bando de desocupadas — disse baixinho, tocando-lhe os lábios com a ponta da língua enquanto a mão escorregava para as pernas de Gabriel.

Ele acolheu os lábios dela nos seus, beijando-a e apertando-a contra o seu corpo, respirando com dificuldade ao sentir os longos dedos de Judite em sua coxa.

— Quero você — murmurou ela, ao pé da orelha dele.

Arrepiando-se ao sentir o hálito quente dela, Gabriel abocanhou o seio que ela oferecia. Suas mãos deslizaram pelas pontas dos dedos no corpo em brasa de Judite, apertando as nádegas e então recuando depressa. Sentando-se na cama, ele a ajeitou em cima dele, com uma das mãos segurando sua nuca enquanto a língua, quente e habilidosa, soltava o mamilo para lamber o pescoço até a região da orelha, fazendo Judite estremecer.

— Por um instante, pensei que você amasse a minha filha — disse ela, curvando-se em um espasmo. — Mas hoje... Hoje eu sei que não.

Gabriel parou abruptamente e retirou Judite de cima dele, levantando-se da cama em seguida. O desejo sumira.

— O que foi? — perguntou Judite.

— Não quero falar sobre Alice — afirmou, andando nu até a geladeira.

— Ah, entendi — respondeu ela com enfado, ajeitando os cabelos despenteados com as mãos. — Aquela ingrata.

— Você não se preocupa com ela? Quero dizer... Serra Leoa está em plena guerra civil. — Gabriel abriu uma lata de cerveja, pensativo.

— Decida-se se quer ou não falar sobre Alice.

— Não quero. — Seus olhos brilharam estranhamente. — Alice viajou e perdemos contato. Só perguntei se você não se preocupa com ela num lugar perigoso como aquele. Fim de papo. — Ele levou a lata aos lábios, entornando o líquido.

— Então é verdade... — disse Judite, perscrutando-o.

— O quê? — perguntou Gabriel, com uma crescente sensação de incômodo.

— Que você ama a minha filha — afirmou ela, com irritação.

— Óbvio que não — respondeu ele secamente, esforçando-se para soar frio, levando a bebida novamente aos lábios.

— Até porque você sempre esteve de olho na herança.

Gabriel cuspiu a bebida, como se tivesse levado um soco na boca do estômago.

— Não me ofenda, mulher.

— Trate de esquecê-la.

— Acho melhor você ir — respondeu ele, a expressão facial alterada em sinal de alerta. — Ulisses deve estar chegando do trabalho.

Ele levou a lata novamente aos lábios e a entornou em uma última mas decidida golada, colocando o recipiente sobre a mesa com estrépito ao sorver todo o seu conteúdo.

Judite se levantou da cama, lábios contraídos e rosto vermelho. Vestiu-se, aproximou-se dele com um olhar frio e, como a cobra que se prepara para o golpe final, liberou seu veneno:

— Nunca mais brinque *em serviço*.

Ela bateu a porta ao sair, deixando Gabriel paralisado. Sentia-se humilhado por aquela mulher de comportamento degradante. Fornicação. Adultério. Traição. Desrespeito pelo patrão. E quem era ele para criticá-la?

Gabriel soltou o ar por entre os lábios contraídos, não desejava refletir sobre suas ações. Ele era vítima da vida, afinal. Fazia o que julgava necessário para sobreviver no mundo que o rejeitara desde o nascimento. Judite ou qualquer outra pessoa que o marginalizasse estavam erradas.

Afastou qualquer pequena possibilidade de autoanálise e olhou pela janela com um vinco entre as sobrancelhas. Estava escurecendo, e as sombras sob as árvores adquiriram o tom azul-escuro da noite. Decidiu tomar banho, eliminar o odor que a mãe de Alice deixara impregnado em sua pele ao se esfregar nele feito uma bucha vegetal.

Era noite de sexta-feira e ele iria a um *pub* repleto de gente bonita, conheceria uma mulher sem a pele enrugada. Não queria passar a noite sozinho e se sentia indisposto a fazer programa.

Programa? Gabriel bateu a porta do banheiro. Ele não era um puto.

— ◆ —

Uma brisa fresca circulava entre as árvores naquela noite, e o cantarolar dos grilos se fazia presente recepcionando a lua, que brilhava radiosamente no céu ao lado de pequenos pontinhos cintilantes, estrelas em todo o seu resplendor. Apesar da beleza singular daquela atmosfera, a retina do jovem Gabriel não parecia registrá-la. Ele observava amargurado o céu e o jardim ao redor, notando que, para grilos, cigarras e formigas, não havia pausa no trabalho, uma vez que permaneciam em atividade constante. Algo não muito justo, em sua opinião. Deus, ou quem quer que comandasse o destino das criaturas, talvez fosse um coronel cruel para manter sob domínio tantos seres subordinados.

Se bem que Josias costumava dizer que a vida era um movimento contínuo e que na existência tudo se encaixava perfeitamente. O homem precisava da abelha para obter o mel, e assim por diante. Talvez o velho jardineiro estivesse certo e Gabriel devesse eliminar os devaneios tolos e sem sentido, pois ele estava, uma vez mais, comprando a briga de seres considerados inferiores à raça humana e recordava, com desprazer, que dona Teresa o criticava pela relutância em matar aranhas.

Gabriel suspirou profundamente, sentindo-se pesado, como se carregasse um saco de cimento nas costas. Ficaria pior se permitisse que os pensamentos ocupassem proporções ainda maiores em sua mente.

Um tanto ansioso, procurou o isqueiro no bolso da calça para acender um cigarro que guardara sobre a orelha. A mãe de Alice esquecera o maço na casinha e ele tinha certeza de que ela possuía outras cartelas. "A mãe da Alice...", refletiu ele enquanto tragava o cigarro ferozmente.

Gabriel não queria pensar em Alice, sempre se desviava dessas memórias. Passara a evitar Maria porque sua simples presença funcionava como um lembrete. Maria desconfiava — na verdade, era provável que tivesse certeza — que ele fazia sexo com a patroa.

Ele notara o ar de recriminação nas raras vezes em que trocaram olhares. Era como se Maria o crucificasse com os olhos, uma atitude nada condizente com seu discurso cristão, afinal, se ela era tão adepta dos ensinamentos de Jesus, deveria abandonar o hábito de julgar os outros, por mais inconcebível que fosse a ideia do que ele fazia com Judite entre quatro paredes.

Gabriel sentiu o rosto corar levemente. Poderia ser de vergonha, mas também de temor. Angústia e vazio. O cigarro tremia entre seus lábios. Ele não tinha ninguém. Pensar em Natasha lhe dava a sensação de ter o coração perfurado. Ele também tentava evitar pensar em dona Teresa, Josias, Itamar e... Alice. Mas era como se aquelas pessoas vivessem entulhadas no fundo da sua consciência. Algumas reminiscências teimavam em surgir, fosse no paladar, quando bebia um suco de limão semelhante ao que dona Teresa preparava, fosse no momento em que transava com a mãe de Alice, ou mesmo durante o trabalho, quando aplicava conhecimentos que adquirira com Josias. Ele também sentia falta de alguém para trocar ideia ou falar besteiras, um colega como Itamar, que mesmo diante das divergências sabia ser parceiro. Sentia saudades do toque de Natasha, que não era lascivo, e sim acolhedor.

De um jeito ou de outro, por mais que se esforçasse para criar uma barreira intransponível, essas pessoas simplesmente reapareciam diante dele feito fantasmas indesejáveis. Gabriel temia enlouquecer quando pensava demais e tinha consciência de que era como se tivesse dado um salto perigoso e agora flutuasse nas águas turvas de um rio.

Baixou a cabeça e olhou para si mesmo, avaliando sua aparência. Estava bonito. Usava roupas caras e de bom gosto, exibia um belo relógio de pulso e aparara a barba. Seu perfume, de marca cara, fora presente de uma das muitas mulheres com quem dormia. E qual delas o presenteara? Ele não se lembrava.

Nervoso, Gabriel ergueu a cabeça para tragar o cigarro novamente e ouviu um ruído de passos a certa distância. Ele prendeu a respiração por um momento, seus olhos buscando identificar a figura que se aproximava e, então, relaxou os ombros tensos, soltando a respiração ao reconhecer o homem que sorria vindo em sua direção.

— Ora, está fumando, meu caro — disse Ulisses num tom pesaroso. — Você é tão jovem, deve saber que faz mal, não é verdade?

Gabriel fitou os olhos do patrão com uma expressão impenetrável.

— Sim, sei disso muito bem, senhor — respondeu com tranquilidade, tragando a ponta que restara e soprando a fumaça com ar de satisfação. — Mas não deixa de ser estranho pensar que fumar já foi considerado um hábito normal.

Gabriel estreitou os olhos, seguindo o trajeto da fumaça. Ulisses acompanhou-lhe o movimento e comentou, sem emoção:

— Não havia informações acerca dos malefícios do fumo nas décadas passadas, e essa deficiência na esfera do conhecimento transformou o jovem fumante em alguém autêntico, pelo menos na opinião daqueles que se submeteram ao vício. — Ulisses franziu ligeiramente a testa. — Enfim, também é justo dizer que no passado, assim como hoje, nem todos se deixaram levar por rodas de amigos.

— Há quem fume por vontade própria, e não pela influência de quem o cerca.

— Ah, sim — concordou Ulisses. — No final, tudo se resume às escolhas que fazemos.

Gabriel arqueou uma das sobrancelhas.

— Nunca pitou, senhor?

A linha da boca de Ulisses se enrijeceu, mas logo relaxou.

— Já — respondeu ele suavemente. — Somente para conquistar uma garota. — Ele se virou para Gabriel. — Eu era louco por ela e comprei charutos importados caríssimos para impressioná-la. Pois bem, a minha ideia fracassou. Ela não apreciava hábitos do tipo e escolheu o meu amigo, que a conquistou pela naturalidade das suas ações. — Ulisses sorriu para Gabriel, um sorriso sem humor. — Fui um tolo, entende? Quis ser moderno, autêntico e fino, exibindo aqueles charutos ridículos. Eu nem ao menos fumava.

Gabriel não encontrava espaço para a mãe de Alice nessa narrativa, e, notando seu silêncio, Ulisses lhe lançou um olhar longo e direto, balançando a cabeça, um pouco formal demais. Gabriel estremeceu involuntariamente, temia que o patrão desconfiasse dele com Judite. Ulisses então quebrou o silêncio com a voz baixa e o olhar agora distante:

— Não se importe com os meus desabafos. É a velhice somada ao fato de me sentir solitário.

— Solitário? O senhor é rodeado por pessoas e se casou com uma mulher fina. — Gabriel emitiu as palavras sem pensar e corou em seguida, arrependendo-se. Ele sabia, e sabia muito bem, que Judite não era o que se chamava de companheira.

— Bem, eu venho aqui para uma emergência — disse Ulisses sem rodeios, ignorando o comentário de Gabriel. — Na casa da sra. Irene há uma árvore rente à fiação de energia e um incidente acaba de danificar os fios. Madame Irene está sozinha, no escuro e na companhia de seus gatos.

— Ah... — disse Gabriel bestamente.

— Não há ninguém da criadagem que more com ela — acrescentou Ulisses, coçando o queixo. — Irene é viúva, sabe? Antiga amiga da família. Você é o meu homem de confiança. — Ele fez uma ligeira pausa, engolindo em seco. — Quero que esteja lá e ajude no que for preciso. Você ganhará por fora, se isso o motivar. Trata-se de um trabalho extra.

— Não é necessário — interrompeu Gabriel. — É minha obrigação servi-lo. O senhor e a sua filha me ofereceram a oportunidade do trabalho, e sei que devo realizar a incumbência de bom grado.

Gabriel mordeu os lábios, sentindo um desconforto momentâneo à menção de Alice. Ulisses também se sentiu desconfortável, olhando ligeiramente para baixo.

— Sinto saudades da minha filha, Gabriel — disse ele bem baixinho. — Alice é muito especial e forte. Admiro-a, não conseguiria agir como ela, mas me preocupa sua participação numa guerra. Sou pai. — Ele então fechou os olhos e esfregou as mãos com força sobre o rosto, tentando afastar o rumo que a conversa tomara. — Sou grato por valorizar a amizade dela, mesmo à distância, buscando agir de acordo com o que ela gostaria que todos nós agíssemos. A Irene é muito querida para ela.

Ulisses tinha a fala mansa, apresentando uma fraqueza física de origem emocional que Gabriel compreendia muito bem, não sem se sentir um bosta. Sua consciência pesava. Ele não merecia a gratidão do patrão.

— Bem... — Gabriel sentiu um filete de suor escorrer pela dobra das costas. O homem diante dele jamais poderia saber sobre Judite, Alice e as *outras*. — É melhor eu ir, não é mesmo? Madame Irene está no escuro.

Com um gesto afirmativo de cabeça, Ulisses desceu os olhos no rapaz pela primeira vez naquela noite, concluindo que Gabriel pretendia sair.

Notando que os olhos do patrão pousaram ostensivamente em suas roupas, Gabriel se adiantou:
— Não se preocupe comigo, senhor.

O sr. Rifólis fitou-o nos olhos e, não encontrando neles nenhum sinal de oposição, sorriu com vivacidade, seu rosto notavelmente expressivo não traindo a alegria genuína.
— Muito obrigado, meu bom rapaz.

Gabriel deixou o jardim agradecendo por ser noite e o patrão não notar suas bochechas avermelhadas pela vergonha que lhe roubara a paz durante a maior parte da conversa.

— ◆ —

O condomínio em que Irene morava era próximo ao dos pais de Alice. Naquela região em particular havia muitas casas de alto padrão, assim como um ou outro condomínio de classe alta. Gabriel apenas não entendia por que o patrão recorrera a ele. Na copropriedade em questão, provavelmente existiam pessoas mais capacitadas para resolver aquele problema.

Após ser liberado pela portaria, Gabriel se aventurou em busca da casa de Irene, baseando-se nas referências que o porteiro lhe dera. Não foi muito difícil de encontrar. A residência tinha uma fachada moderna, aberta, e as paredes de vidro revelavam que sua moradora estava à luz de velas. Apesar de ser a típica casa grande e impecável de uma mulher rica, algo nela preservava uma atmosfera simples e sutil.

Parado do lado de fora, Gabriel bateu palmas e logo ouviu os passos vagarosos e vacilantes da dona da casa. A porta se abriu, e Irene o convidou para entrar. Simpática e levemente confusa por sua presença, ela repetia frases de agradecimento, mas acentuava que Gabriel não precisava ter se deslocado, que Ulisses era exagerado e que no dia seguinte a situação toda estaria resolvida.

Irene não entendia como Ulisses soubera do ocorrido, uma vez que não o comunicara, mas, posteriormente, ela lhe agradeceria pelo gesto de solidariedade.

Já Gabriel finalmente compreendera o motivo de estar ali. Sua função era fazer companhia a Irene. O patrão temia que algo pudesse acontecer a ela e ninguém ficar sabendo em decorrência da falta de energia. Uma preocupação justa pelo histórico de AVC e pela enfermidade que a madame possuía nas pernas.

— Aceita um pouco de vinho?

Educada, Irene surgiu diante dele com uma garrafa e duas taças. Ele hesitou por um instante, depois aceitou com um gesto de cabeça.

— Muito obrigado — agradeceu Gabriel, acomodando-se no sofá. — É a primeira vez que degusto um vinho de qualidade tão elevada.

— É de uma safra da Borgonha, o *grand cru* Richebourg, de Henri Jayer.

— Vou pedir para você escrever isso.

Eles riram.

— Meu falecido marido era colecionador de vinhos — disse ela de um modo despreocupado. — Irineu colecionava vinhos na intenção de compartilhar com os amigos. Sinta-se à vontade.

— Ele se chamava Irineu?

— Sim. Deve ser obra do destino. — Irene sorriu com vivacidade, levando a taça aos lábios. — Formávamos uma bela dupla, principalmente no karaokê. Irene e Irineu.

Gabriel sorriu com franqueza. Antes, quando ela surgira com o vinho, ele se perguntou se não havia segundas intenções no gesto, se não estava sendo alvo de outra rica e solitária mulher. Mas Irene era diferente e não pertencia ao mesmo supérfluo e sem sentido turbilhão social.

A conversa fluía sem tensões. Irene serviu outro vinho de marca cara, do ano de 1970. Gabriel se sentia grogue, as palavras lhe saíam da boca sem muita reflexão; ele simplesmente desabafava, confortável, deixando escapar seu romance com Alice.

— Não se trata de uma escolha entre você e a causa propriamente dita — disse Irene.

— Alice escolheu ir. E foi — rebateu Gabriel, com o olhar fora de foco. — Não importa que a filantropia seja assim tão importante pra ela.

— Ela não conseguiu ser insensível à confusão e ao terror de Serra Leoa.

— Ela é uma mulher maravilhosa, ajudou-me num momento em que ninguém quis ajudar. Reconheço que ela tem uma generosidade rara, mas eu esperava que mudasse de ideia sobre a África. Por mim.

— Provavelmente ela contava com o seu apoio nesse projeto. Alice pensa na África há muito, muito tempo...

— Eu... — disse Gabriel, pousando a taça vazia sobre a mesa — preciso beber outra coisa. Tem algo sem álcool? Refrigerante, talvez?

Ela lhe serviu uma fatia de bolo de laranja com guaraná.

— Sinto que vocês se amam de verdade.

— Pois é, mas não dá para tapar o sol com a peneira — afirmou ele, levando uma garfada à boca. — Sou um zé-ruela qualquer. Talvez ela mereça alguém melhor.

— Você acha que não a merece?

— Tenho certeza.

— Por qual razão?

Gabriel colocou o prato vazio sobre a mesa de centro e olhou para Irene.

— Não posso dizer.

— É a mãe dela, não é?

Ele se manteve calado, olhando para as mãos.

— Por que você está dormindo com a Judite, se não gosta dela?

Gabriel deu um pulo do sofá. O efeito do álcool sumiu com o choque. Ele então piscou.

— Desculpe. Não sei se entendi direito...

— Você entendeu, sim.

Irene exibia toda a sua certeza no olhar, e Gabriel se deixou cair no sofá, chocado demais para falar.

— Por que está dormindo com a mãe da menina de quem você gosta? Não faz sentido.

Gabriel se levantou de uma vez e ficou de costas para ela. Precisava apenas colocar a cabeça no lugar, descobrir como Irene obteve aquela informação e o que faria com ela.

— Pretende falar a verdade e me fazer perder o emprego?

— Não quero prejudicá-lo, Gabriel. Mas essa história precisa acabar.

— E o que sugere? Não é tão simples.

— Você ama Alice, tem consideração por Ulisses e acabará com essa coisa errada que tem com a Judite. Ponto.

Gabriel levou as mãos ao rosto, beirando o desespero.

— Como soube? — Sua voz saiu rouca.

— Pela Ariane — respondeu Irene, mas, ao observar a expressão confusa dele, esclareceu: — Ariane é uma das amigas da Judite com quem você também saiu.

Gabriel fechou os olhos. Como pôde se esquecer da Ariane? Ela é do tipo ciumento, que não aceita dividir nada. Estava convicta de que ele também tinha rolo com a Judite.

— Eu tirei a desconfiança da cabeça dela. Ela faria um escândalo. — A voz de Irene ricochetou no ar.

— Obrigado por salvar a minha pele — respondeu Gabriel com ironia. — Bem, você deve saber que Judite não é o tipo de mulher que aceita um fora. Também tenho quase certeza de que ela sabe sobre mim e Alice.

— Já considerei a possibilidade — disse Irene, pensativa. — Judite está com muita raiva da menina.

— Você quer proteger seu amigo e a filha dele, mas não está pensando em mim, madame Irene.

— É melhor descansar, Gabriel. Amanhã conversaremos.

— Amanhã? — Ele sorriu com incredulidade. — Eu vou embora daqui, já que estou todo ferrado mesmo. Pode colocar a boca no trombone, fazer o que quiser com o que sabe.

— Gabriel, fique tranquilo, está bem? Passe a noite aqui. Amanhã nós conversaremos com calma. Sóbrios.

Ela colocou uma das mãos no ombro dele, solidária, e então pediu licença para se recolher, deixando Gabriel na sala, afundado não no sofá, mas na grande bosta que era a sua vida.

Gabriel acordou com vozes masculinas do lado de fora da casa, tendo a vaga consciência de que arrumavam a fiação de energia. Ele se perguntou, por um instante, se a conversa com Irene não fora um pesadelo. Mas sua cabeça latejava, a boca estava seca e ele passara a noite no sofá da madame, fedendo a suor.

Espiou ao redor antes de se levantar por completo. O que deveria fazer? Pedir desculpas a Irene? Fugir era a melhor opção, mas ele sabia que não podia se dar ao luxo da escolha.

Pouco tempo depois, estava sentado com Irene na cozinha para acompanhá-la no café da manhã.

— Fale-me sobre você — disse Irene.

— A senhora já sabe o suficiente.

— Você teve uma vida antes dos Rifólis.

Gabriel suspirou fundo, avaliando se deveria conversar, novamente, sobre questões particulares com a madame Irene.

— Tenho medo de lhe contar sobre mim.

Ela ergueu uma sobrancelha.

— A senhora está praticamente me chantageando.

Irene recolheu pequenas cascas de pão sobre a mesa. Quando falou, não o olhava diretamente:

— Não posso menosprezar os sentimentos das pessoas envolvidas. — Ela então o olhou no fundo dos olhos. — Você também está preocupado com toda essa situação.

— É óbvio que sim. Eu não esperava que a senhora soubesse...

— Não, não — interrompeu Irene. — Você estava angustiado antes mesmo de abordarmos a questão de maneira direta.

Gabriel se sentia impotente. A mulherzinha inoportuna estava certa.

— Então, madame Irene...

— Irene.

— Irene. Pois bem, acha que alguém se importa com tudo o que eu passei? Não quero te comover, nem reduzir os meus erros, mas desconheço a segurança de um teto. Sou órfão.

Ele deu um sorriso amarelo antes de prosseguir.

— Fui adotado. Devolvido. Quando completei a maioridade, me vi enxotado do abrigo. Dormi em becos de rua. — Gabriel engoliu em seco. — Conheci Alice e agora tenho onde morar. Mas não deixei de temer o olho da rua. A fome. Algumas feridas não cicatrizam facilmente.

Ele se mexeu na cadeira, tenso, o olhar voltado para baixo. Parecia-lhe muito difícil expor aquilo daquele jeito.

— Alice me abandonou. Judite e suas amigas são infelizes. Sou útil como posso. Não é de graça.

— Você as faz felizes? — perguntou Irene.

— Por um tempo, sim. Sou apenas uma diversão.

Seus olhos se encontraram, e nesse momento havia piedade no olhar da madame.

— Farei o que a senhora quer. Darei um fora na Judite. Mas sou incapaz de mensurar o que pode acontecer.

Irene observava Gabriel.

— Então... — começou ele, jogando o corpo contra a cadeira. — Não vai falar nada?

— Não imaginava que o tinham devolvido. — Ela pousou a xícara no pires. — Quero dizer, por que adotar para abandonar depois?

— Não sei. Eu só tinha quatro anos.

Gabriel apertou os lábios numa linha fina, não queria falar sobre seu passado de peça com defeito de fabricação.

— Preciso ir, Irene. Meu patrão aguarda por notícias.

Ele se levantou e ficou de costas para ela.

— Gabriel.

— Sim?

— Não contarei nada a Ulisses, mas você precisa mudar sua atitude.

— Eu lhe dei a minha palavra.

A expressão dele era levemente rígida, contrastante com a dela, que transparecia suavidade, apesar do cenho franzido.

— Desculpa — pediu Irene de repente. — A intensidade da sua dor deve ser grande.

— Sem problemas — cortou ele.

— Perdi um filho de quatro anos — disse ela de repente.

— Alice me contou.

Eles se encararam.

— Ela contou sobre o acidente?

Gabriel assentiu com a cabeça.

— Tive um derrame ao saber da morte do meu marido. — Uma lágrima silenciosa desceu pelo rosto de Irene. — Quando acordei, descobri que meu pequeno Gabriel também havia morrido no acidente.

— Gabriel?

— Sim, meu filho tinha o seu nome.

O lábio inferior de Irene tremeu discretamente, e Gabriel experimentou o ímpeto insano de abraçá-la. Sem muito pensar, sentou-se novamente.

— Meu lugar era ao lado da minha família, não em Nova York. Nunca sosseguei, sempre tive a necessidade de querer fazer mil coisas ao mesmo tempo. — Ela fungou antes de prosseguir: — A dificuldade que tenho para andar parece ser uma punição, sabe?

— Ninguém está punindo a senhora — Gabriel disse com convicção.

O telefone tocou e Gabriel se afastou de Irene, sentindo um súbito alívio. Não sabia o que dizer sobre as perdas que ela tivera. Sentia um cansaço físico e emocional, tinha a sensação de que enfrentaria uma guerra no trabalho.

Algum tempo depois, Irene voltou:

— Era Ulisses. Ficou feliz por conseguir telefonar. Sinal de que o problema com a energia foi resolvido — disse ela, recolhendo os talheres. — Ele também pediu para você voltar.

— Ah, sim. — Gabriel se levantou. — Estava na hora.

— ◆ —

Era noite de sábado. Gabriel estava deitado na cama, contemplando o teto, com a mesma roupa da noite anterior. Não havia tomado banho. Relaxar não estava em seus planos, sua mente parecia um turbilhão de pensamentos aleatórios. O patrão lhe agradecera, quase que efusivamente, por fazer companhia à madame Irene. Falou em aumento, confiança e lealdade. Gabriel estava à beira de uma explosão. Depois do almoço, Ulisses viajou a negócios e Gabriel concluiu que Judite aproveitaria a ausência do marido para visitá-lo na calada da noite.

Dito e feito. Ele ouviu a porta se abrir e o barulho de passos pelo assoalho. Gabriel permaneceu imóvel na cama, sentindo um aperto no coração, a sensação aflitiva de um temporal se aproximando.

— Cruzes! Este ambiente está fedendo! — disse Judite, acendendo as luzes.

— Um pouco de delicadeza lhe cairia bem — disse Gabriel, erguendo-se na cama. — O que quer? É tarde.

— Ora, ora. O que posso querer? — perguntou ela, colando sua boca na dele e passando os braços em volta do seu pescoço. — A mosca-morta do meu marido está bem longe, podemos aproveitar muito.

Gabriel se afastou ao sentir a língua dela tentando invadir a sua boca.

— Desculpe-me. Estou cansado — disse o jovem.

— Não diria cansado, mas parece que você não toma banho há séculos. O que aconteceu?

Eles ficaram sentados na cama, um ao lado do outro. Gabriel não conseguia encontrar uma maneira adequada de jogar a real, mas, ao olhar para ela, seu semblante denotava decisão.

— Outro dia você falou para eu não brincar em serviço. Não entendi a colocação. Poderia esclarecer?

Judite girou os olhos, demonstrando tédio.

— É uma frase denotativa: não brinque em serviço. Não há o que explicar.

— Não é o que me pareceu. Você usou da conotação.

— Sério mesmo que vamos discutir gramática?

— Não, não. O ponto não é este. — Gabriel se aproximou dela com uma expressão subitamente rancorosa. Judite podia até sentir seu hálito. — Eu tinha passado horas com você na cama, a coisa toda não deu muito certo no final e você me ameaçou. Alertou para que eu não brincasse em serviço. Eu não estava brincando em serviço. Fazer sexo com você não está na minha lista de afazeres nesta residência.

Judite sorriu com sarcasmo.

— Todos nós sabemos o que você é, não é?

— Como assim?

— Tenho que dividi-lo com zilhões de mulheres.

Gabriel cerrou os lábios. Ela ria na cara dele. Humilhava-o.

— Nosso lance acabou.

— Como é que é?

— Não está certo.

Judite achou graça, então disse:

— Desde quando você se importa com certo ou errado?

— Talvez você não me conheça. Se conhecesse, saberia que não consigo sentir nada além de repulsa por você.

Foi como se jogassem um copo de água na cara de Judite. Gabriel sabia que estava pegando pesado, mas não havia encontrado outra maneira de afastá-la. Precisava ferir o orgulho daquela mulherzinha esnobe.

— Com quem você pensa que está falando? — perguntou Judite, incrédula.

— Ninguém importante.

— Sou a sua patroa!

— Está mais para a minha puta — rebateu Gabriel, sustentando o olhar de ódio dela.

— Fui a mulher que você mereceu ter.

Gabriel sorriu, mas com discreta tristeza.

— Talvez eu realmente mereça o seu tipo de mulher.

Judite lhe deu um tapa na cara.

— Não sei qual droga está usando, mas isso não acabou aqui. — Ela notou a rigidez na mandíbula dele. — Não pense que pode me ofender e sair impune, moleque.

Ela deu meia-volta e se retirou com firmeza.

Gabriel desabou na cama. Estava feito. Terminara tudo com Judite. E agora?

*A lua está acima, as flores valsando com a brisa.
Abaixo do chão, terra árida para uma feliz plantação.
À volta de nós, toda a beleza intraduzível, e somos
tão pequenos,
ainda perdidos no interior dessa imensidão...*

República da Serra Leoa, África Ocidental, janeiro de 1999.

Tudo o que Alice sabia não passava de teoria. As fotos e as notícias não eram capazes de reproduzir fielmente o estado daquela terra saqueada. A guerra civil se alastrava pelas minas de diamantes, ilustrando as paisagens, outrora belas e poéticas, em telas caóticas e sangrentas.

Serra Leoa cheirava a degradação humana, e o país não tinha recursos para as necessidades básicas da população. Moscas, carne putrefata e gemidos agonizantes compunham o cenário de um lugar que parecia ter sido abandonado por Deus. A guerra entre o governo e a Frente Revolucionária Unida era uma verdadeira atrocidade. Tudo parecia explodir, o número de refugiados aumentava significativamente a cada dia.

Quando surgiam tiroteios ou bombardeios, filhos eram separados dos pais, mortos ou usados na exploração dos diamantes que financiavam a guerra. Mulheres eram violentadas e espancadas até a morte. Homens fuzilados, mutilados ou recrutados pelos rebeldes.

Alice se desdobrava em multifunções, mas atuava especificamente com as vítimas de recrutamento infantil, lutando para recuperá-las dos traumas, o que não era fácil. As crianças e os adolescentes eram dependentes de drogas alucinógenas e foram condicionados ao medo pelas experiências a que foram submetidas pela FRU. Muitos eram transformados em máquinas de guerra, movidos pelo ódio e pelo sentimento de desamparo, tendo encontrado no ambiente armado uma nova família.

Havia voluntários de diversos países engajados na causa, pessoas que escolheram o inferno em prol de um povo massacrado e desnorteado. Alice e os colegas eram vistos como inimigos pelos meninos-soldados durante o processo de readaptação.

Não demorou para que os rebeldes atacassem o campo de reabilitação em que ela atuava na capital, Freetown. Alguns adolescentes, soldados da revolução considerados traidores, foram assassinados em seus leitos. Alice levou uma coronhada na cabeça e outra na barriga. Seu agressor tinha o rosto duro, com marcas profundas, olhos frios e ameaçadores. A situação fugira do controle. Ele agarrou os cabelos dela com força, enquanto puxava para baixo, com a outra mão, o zíper da calça. Num gesto rápido, prensou-a contra parede.

Alice socava, gritava, implorava por misericórdia, mas a brutalidade daquela situação durou até o momento em que ele finalizou o abuso.

— Deu pra entender quem manda aqui, vadia? — Ele deu um chute na barriga dela. — Volte para o seu país, ou faremos revezamento em você.

Ele a deixou no chão como um pano de prato usado. Alice se sentia destruída. A cabeça latejava, e ela pressionava a lesão na barriga com um pano ensanguentado.

— Alice? — sussurrou, de repente, um rapaz com voz rouca. — Onde você está?

Era Maxwell, seu colega canadense, mas ela não conseguia enxergá-lo, mesmo voltada para a direção do som. Sua visão estava turva.

— Estou... aqui! Perto do armário de suprimentos.

Em poucos segundos ele surgiu no chão ao seu lado e a abraçou.

Também estava ferido, mas não gravemente.

— Não restou mais ninguém da nossa unidade — disse ele.

Alice deixou escapar um grito de dor, e Maxwell notou a extensão de seus ferimentos.

— Precisamos encontrar ajuda — disse ele, tentando controlar o desespero. — Você está perdendo muito sangue. Tomar o coquetel retroviral é uma medida urgente.

— Por favor, Max, não... Não. Prefiro morrer aqui, junto da minha equipe e dos meninos que não fui capaz de salvar.

— E o seu namorado? Sua família? Você está delirando. Não podemos perder tempo, vamos!

Maxwell carregou-a para fora do campo, mas, com a derrota das tropas da ONU, as estradas haviam sido bloqueadas e ele não sabia como chegar a Bo para ser atendido pelos colegas do Unicef atuantes na cidade.

— Ela não pode morrer — murmurou para si mesmo, observando que Alice perdia a consciência. — Ela não pode morrer. Não, não pode.

Ele estava trêmulo, apavorado. Ingressara no programa com vontade de ajudar, mas agora só desejava ir embora, fugir dali. Reconhecia-se incapaz de dar continuidade ao trabalho em meio a catástrofes e mortes. Não queria ouvir bombas explodindo ao pé do ouvido ou temer doenças como a malária. Não queria que uma amiga morresse em seus braços, vítima de espancamento e estupro.

Era preciso contatar um avião ambulância equipado e tripulado por médicos. Rápido. Mas como? A amiga lhe retardava os movimentos, e ele não queria deixá-la.

Revisando as possibilidades, Maxwell optou por escondê-la no beco de uma rua oculta entre os destroços. Ele correu contra o tempo, sabia que a vida dela estava em suas mãos e o medo dominava sua mente, fortalecendo seus joelhos, que teimavam em querer ceder.

Horas depois, Maxwell finalmente conseguiu fazer contato com o Unicef e aguardava, ao lado da amiga, a chegada do avião de emergência. Alice fervia em febre. Ele verificou a testa dela e constatou que, apesar de seca, estava quente. Precisava fazer algo, mesmo que isso significasse acabar com o resto de água que havia no cantil. Maxwell umedeceu um pedaço de pano sujo e colocou sobre a testa de Alice.

— Você está proibida de morrer. — Aquela ideia o aterrorizava, mas ele tentou dar uma suavizada: — Sempre quis pular Carnaval. Você prometeu que me levaria lá!

Alice sorriu, pouco convincente. Ela entendia que Maxwell queria animá-la, e ele estava longe de entender que ela explodira junto com Serra Leoa.

— Olha, se eu não resistir...

— Em breve você estará em casa, Alice.

— Não quero voltar — Alice sussurrou. — Eu falhei. Minha mãe... Ela vai rir disso tudo. Afinal, ela avisou. Jamais deixará de jogar isso na minha cara.

— Não diga bobagens. Você sofreu agressões inomináveis.

— Você não a conhece, Max.

— Estamos falando de uma mãe. Sua mãe. Mãe.

Alice desviou o olhar. Ele jamais entenderia, e ela estava fraca demais para explicar o que era a relação mais problemática do universo. Sua cabeça latejava horrivelmente. Virou-se novamente pra ele:

— É... tudo muito complicado.

Ele alisou os cabelos dela.

— Então não pense nisso. Tente descansar.

— Não sei se consigo, mas muito obrigada, Max. Por tudo. Ganhei um amigo para a vida toda.

— Eu também. Um presente de Serra Leoa.

— ◆ —

Alice não era mais a mesma. Tinha cicatrizes espalhadas por todo o seu ser. Precisava desabafar com Irene, pois se sentia egoísta, alguém que se preocupava apenas com o próprio nariz, alguém que arriscou tudo por um projeto ingênuo e infantil. Infelizmente, sua mãe estava certa. Ela não tinha que bancar a salvadora quando muita gente já havia desistido da humanidade.

Alice se mexeu desconfortavelmente na poltrona do avião. Voltava ao Brasil depois de três semanas internada em um hospital de Londres. Sentia-se quebrada, e a dor refletia os pensamentos sombrios. Não se reconhecia sem o otimismo e o desejo de absorver os melhores ensinamentos das situações. Aquela amargura não lhe pertencia. Aquilo parecia com Gabriel.

Gabriel. Seu eterno menino, como sentia saudades do seu abraço, seu sorriso, seus lábios... Acreditava num reencontro feliz, apesar de contrariá-lo ao viajar. Ele sabia, desde o começo, como aquilo era importante para ela. Então a abraçaria apertado, feliz por tê-la novamente em seus braços.

Ninguém imaginava que Alice atravessava o oceano de volta para casa. Afinal, ainda hospitalizada, ela não permitiu que Maxwell comunicasse sua família ou mesmo o namorado. Não queria preocupá-los, fazê-los se deslocar de São Paulo a Londres. Porque era exatamente isso que seu pai e Irene fariam, enfiando-se ambos dentro do hospital. Já sua mãe se aproveitaria da situação para fazer compras pela Inglaterra. E Gabriel sofreria a impossibilidade de acompanhá-los. Não, ela não podia causar-lhe mais sofrimentos. A última lembrança que tinha dele era aquela do café da manhã, depois da noite de amor que compartilharam. Ele não estava feliz com a decisão dela. Nunca mais se falaram, não trocaram cartas. Então lhe ocorreu que talvez ele não gostasse mais dela. Que nem ao menos namoravam mais!

Alice respirou fundo e fechou os olhos, tentando alcançar Gabriel através da sintonia. Ele a amava. Poderia estar chateado, mas obviamente compreendia que algumas decisões não devem ser revogadas. E cartas podem ser extraviadas.

— Senhora? — Uma comissária de bordo estava em pé ao seu lado e parecia bastante impaciente.

— Sim?

— Aceita algo para beber? Suco, refrigerante?

— Suco, por favor — respondeu Alice, decidindo pensar menos e aproveitar a viagem.

São Paulo, fevereiro de 1999.

— Quer dizer que não se trata de implicância? — disse Ulisses — Aconteceu...
— Dentro da nossa casa.
— Mas... não entendo por que ele não me contou.
— Faria alguma diferença?
Ele olhou para ela, especulando se podia revelar que sim.
— Gosto do rapaz — comentou, fazendo um gesto com a mão. — Ele podia ter me contado. Não seria contra.
Judite precisou de muita energia para esconder o vulcão que explodira dentro dela.
— Ele a seduziu. Por interesse. Descobri que o pilantra fugia do Tarcísio na estação de metrô e a nossa querida filha o defendeu.
— Tarcísio não era o guarda aqui do condomínio?
— Ele mesmo — respondeu ela, satisfeita por notar alterações faciais no semblante do esposo. — Alice trouxe o rapaz para a nossa casa e o apresentou usando roupas limpas.
— Posso perguntar como soube disso?
— Encontrei Tarcísio outro dia, e discretamente ele me contou que Gabriel se assemelhava aos miseráveis que costumam dormir no Masp.
Ulisses se levantou da cama e andou pelo quarto. Tinha acabado de chegar de uma longa viagem de negócios.

— A Alice — começou ele, afrouxando a gravata — sempre gostou de ajudar, mas a coisa muda de figura nesse caso. Um fugitivo?

— Sim, um fugitivo com quem ela teve relações íntimas bem debaixo do nosso nariz. Maria assegurou que eles se encontravam na casinha do caseiro.

— Judite — ele a interrompeu, nervoso —, não quero ouvir isso, está bem?

— Isso é para você nunca mais desmerecer as minhas opiniões. Eu disse que existia algo entre ela e o rapaz. O sujeito está aqui, sob a proteção do nosso teto, capaz de fazer sabe Deus o quê!

Ulisses olhou para Judite, o efeito daquelas palavras envenenando-o lentamente.

— Vou tomar banho. Depois decido o que fazer.

— ◆ —

Ulisses encontrou Gabriel sem camisa limpando a piscina. Observou o porte físico do rapaz e pensou na filha, sentindo uma pontada no peito. Irritado, gritou:

— Preciso falar com você. Agora!

Pego de surpresa, Gabriel acabou derrubando a peneira na água. O tom do sr. Ulisses era estranho.

— Depois você pega isso aí. Estou esperando no meu escritório.

E saiu sem olhar para trás. O que estava acontecendo? Então Gabriel se lembrou da ameaça de Judite. Uma bomba prestes a explodir.

Ele enxugou o suor do rosto com uma toalha e vestiu a camiseta, dirigindo-se no mesmo instante ao escritório do patrão. Estava perdido e sabia disso.

— Vou direto ao ponto — começou Ulisses, pouco amistoso. — É verdade que você fugia de um guarda quando conheceu a Alice?

Gabriel foi pego desprevenido. Esperava alguma pergunta sobre Judite, mas é claro que ela não revelaria nada a Ulisses. Sua intenção era acabar com ele, e não consigo mesma.

— É verdade, sim — respondeu Gabriel.

— E por quê?

— Eu fiquei assustado quando ele veio falar comigo e a minha reação pareceu suspeita. Então saí correndo pela estação.

— Por qual razão a figura de um guarda o assustaria?

Gabriel hesitou em responder. Quando se vive nas ruas, a relação com a polícia é completamente diferente. Você não tem dignidade e tampouco é visto como ser humano. Gabriel tinha medo deles porque era marginalizado e também pelo que havia feito no abrigo, algo que nunca confidenciara a Alice e que decidiu contar a Ulisses:

— Eu dei um soco no diretor do abrigo onde eu vivia e imaginei que a polícia estivesse atrás de mim. Foi isso que aconteceu.

— Você o quê?

— Ele é um filho da puta.

Ulisses olhou Gabriel com horror.

— Não há justificativa para a violência, garoto — disse o patrão com convicção.

Gabriel abriu a boca para falar, mas tornou a fechá-la. É muito fácil julgar sem conhecer a história toda. Xavier é um monstro.

— Você deslocou o ombro outro dia — lembrou Ulisses com desagrado. — Arrumou briga trabalhando na minha propriedade. Até mesmo o dr. Amaury percebeu que você era sinônimo de confusão. Tudo bem diante dos meus olhos, e eu não vi.

— Eu não desloquei o ombro por causa de briga.

— Sua mão é cheia de cicatrizes.

— Porque no passado eu quebrei um espelho, sr. Rifólis!

— Mais um traço de agressividade.

— O senhor nunca quebrou nada na hora da raiva?

Ele observou Gabriel por alguns instantes e se levantou da mesa, mantendo o contato visual que o outro sustentava.

— Eu sempre tive muito apreço por você, garoto — disse ele com real sinceridade, fazendo Gabriel baixar o olhar. — Mas não sabia que você era uma figura suspeita e que a minha filha tinha se arriscado para protegê-lo. Também não imaginava que fosse capaz de desprezar regras a ponto de agredir fisicamente o diretor de uma instituição.

— Ouvindo a coisa toda assim, eu sou bastante indigno.

— Você seduziu Alice.

Gabriel ergueu o olhar.

— Agora o senhor está desqualificando a minha relação com ela.

Ulisses esboçou uma careta antes de dizer:

— Insisto que tive consideração pela sua pessoa, mas devo frisar que isso não me impediu de perceber que você gosta de receber atenção. Que as amigas da Judite ficam enlouquecidas na sua presença.

Gabriel não disse nada. Judite também ficava enlouquecida, razão de ele estar encrencado.

— Só não imaginei que Alice também fosse vítima dos seus artifícios. Pensei que valorizasse a amizade dela, que não a tratasse como mais uma peça do seu jogo.

— Ela não é uma peça no meu jogo.

Ulisses não esboçou nenhuma reação. Gabriel ficou irritado.

— Nada do que eu diga vai mudar a sua opinião sobre mim, sr. Rifólis. E eu prefiro respeitar seu modo de pensar.

Gabriel foi sincero. Ulisses se decepcionara com histórias truncadas, explicáveis, ainda que não justificáveis. O patrão nem sequer sonhava que ele tivera um caso com Judite. E Gabriel estava cansado de sentir culpa por isso. Ulisses era boa pessoa, e ele não merecia sua confiança. Ao menos tinha aparado essa aresta, mesmo que pelos motivos errados.

— Vamos acertar tudo como se deve — disse Ulisses, sentando-se novamente na cadeira.

— Eu vou arrumar minhas coisas. Depois passo aqui para receber o acerto.

Gabriel ouviu Ulisses dizer algo, mas deixou o escritório antes de o dono da casa terminar. Sabia que o ex-patrão seria justo com seus honorários e precisava tratar de assuntos mais urgentes, como encontrar um lugar para onde ir. Não tinha clima para entrar em contato com nenhuma das mulheres com quem tinha se relacionado e, na verdade, desde que conversara com Irene, passara a evitá-las. Ao menos ele acumulara boa quantia de dinheiro, podendo se manter sem trabalho por um tempo.

Ao passar pela sala, cruzou com Judite. Ela bebia uísque e o olhava por cima do copo, com uma ridícula expressão de vitória. Gabriel tinha muito a dizer, mas escolheu xingá-la em silêncio, dando-lhe as costas logo em seguida, sua raiva soando nas pisadas fortes no assoalho.

Na casinha, Gabriel colocava as roupas na mala enquanto pensava que, ao menos desta vez, ele tinha uma mala — e não uma sacola — para usar. Mas, como naquela manhã triste no abrigo, ele não conseguia deixar a malfadada pelúcia de fora. Guardou-a com cuidado antes de fechar o zíper. Foi quando Irene surgiu na porta.

— Olá.
— Ei — respondeu ele, surpreso. — Veio se despedir?
— Como assim? — Ela pareceu confusa.
— Fui demitido.

Irene demorou um pouco para processar a informação.
— Ulisses descobriu que...?
— Não, não. — Gabriel se apressou em negar, colocando Irene para dentro da casa. — A propósito, ele sabe que a senhora está aqui?
— Não. Acabei de chegar e não avisei a casa-grande.
— Certo.
— O que aconteceu?
— Eu terminei com a Judite.

Eles ficaram em silêncio por alguns instantes. Gabriel deu de ombros, então prosseguiu:
— E ela envenenou Ulisses de tal forma que ele não quis nem me ouvir.

— Mas ela contou que vocês...?
— Que tivemos um caso? De maneira alguma. Ela jogou com outras armas.
Irene examinou o semblante de Gabriel.
— Para onde vai?
— Não sei.
Mais uma pausa. Ela então sugeriu:
— Pegue um táxi até a minha casa e me aguarde.
Gabriel começou a protestar.
— Eu faço questão de ouvi-lo — interrompeu-o Irene. — Sinto que precisa conversar.
— O mundo nem sempre me deu voz.
— Isso é coisa do passado.

— ◆ —

Gabriel largou a mala e sentou na borda da calçada, tomado pelo calor do dia e pelo fervilhar de suas emoções. Sentia raiva de Judite e certa ambivalência de sentimentos em relação ao sr. Rifólis. Não suportava mais mentir para o homem, mas por fim o patrão desenvolvera a pior opinião possível sobre ele sem saber a verdade completa. Isso o incomodava.

Gabriel então esticou as pernas. Irene provavelmente levaria algumas horas para chegar, e, apesar de sua empatia, estava com receio de contar a ela o que havia acontecido no abrigo. Pensou em Natasha, que recusou ajuda e sugeriu que ele delirava.

Ele cuspiu no chão, desgostoso com a lembrança. Pouco tempo depois, o carro preto de um motorista particular estacionou na frente da casa e a madame desceu, cumprimentando Gabriel com um aceno breve e pedindo que a acompanhasse.

Dentro da casa, Irene apresentou um dos quartos para que Gabriel se acomodasse, oferecendo-lhe uma suíte. Como sua permanência seria temporária, ele escolheu não desfazer a mala completamente. O urso de pelúcia continuou dentro da bolsa, oculto sob várias peças de roupa.

Sentindo-se leve após o banho, mas não muito confortável devido às circunstâncias, Gabriel encontrou Irene na sala, então se sentou em frente a ela com um sorriso tímido e usando palavras de agradecimento.

Ela fechou o livro que estava lendo.

— Como você está? — perguntou Irene.

Uma leve hesitação. Então ele respondeu:

— Angustiado.

— Vinho?

Gabriel não pôde deixar de sorrir. Era exatamente o que precisava para relaxar e falar sobre o passado que deixara para trás.

Ele começou a contar a ela que namorou uma menina no abrigo e, para defendê-la em um caso de assédio, saiu no braço com o diretor, o que resultou em agressões e acusações de que ele possivelmente usava drogas. A narrativa de Gabriel não mencionava as marcas no pescoço da menina e, principalmente, o motivo que a levou a procurar Xavier. Gabriel ocultara os esforços de Natasha em ajudá-lo por razões que ele não estava a fim de entender.

Sem conhecer os detalhes e seguindo a trilha daquela narrativa, Irene não soube identificar a gravidade da situação. Gabriel não mencionou o estupro e outros incidentes importantes, então tudo levava a crer que ele perdera o controle por ciúme. Óbvio que era ciúme! A tal menina disse que Gabriel delirava, e, evidentemente, nenhum diretor de abrigo seria pedófilo. Assim pensava Irene.

— Eu conheço Ulisses há muitos anos — começou ela, procurando as palavras adequadas. — Ele se assustou por você bater numa autoridade. Isso realmente não foi legal, Gabriel.

O jovem assentiu brevemente.

— Ele soube do diretor por mim, mas antes de eu falar ele já estava determinado a me condenar por qualquer coisa.

— Sim, ele não sabia dessa história — concordou Irene, ajeitando-se no sofá. — Mas ele soube do guarda, que é outra autoridade.

Gabriel bebeu um gole do vinho, sentindo-se desconfortável.

— E os fatos estão interligados — continuou Irene.

— Eu só tive medo do guarda.

— Pelo que aconteceu no abrigo — completou a senhora.

— Ulisses mal quis me ouvir. Judite o envenenou, utilizando-se dos piores requintes difamatórios. Tenho certeza. Gabriel esvaziou a taça de vinho. — Estou com muita raiva dela — disse ele, colocando a taça sobre a mesa de centro com força. — Eu devia ter jogado no ventilador que comia aquela víbora.

Irene fez uma careta, mas Gabriel não deu bola.

— Você nunca mais falou com a menina? — questionou ela, mudando de assunto. — Sua namorada do abrigo?

— Jamais voltei àquele lugar. — Ele se atrapalhou com as palavras, irritado como sempre ficava quando falava de Natasha. — Eu estava delirando, certo? Foi o que ela disse.

Gabriel viu preocupação no semblante de Irene, como se ela acreditasse saber mais sobre os seus sentimentos do que ele mesmo. Irene não sabia nada sobre a sua vida. Resolveu mudar de assunto.

— Ulisses... Ele sabe que estou aqui?

— Escolhi não dizer nada. — Irene suspirou, levando o vinho aos lábios.

Gabriel deu uma olhada pelas paredes de vidro, observando os arbustos e as árvores do condomínio. Ele precisava encontrar algo para fazer, agora que não trabalhava mais para os Rifólis. Não queria ficar parado.

— Diga-me o que posso fazer, madame.

— Ora, Gabriel, você é meu convidado. Também pensei que havia concordado em romper com as formalidades.

Ele olhou para ela.

— É a força do hábito — retrucou ele com um sorriso. — Irene, eu não quero ficar sem fazer nada.

— Entendo. Mesmo com a dificuldade para andar... eu simplesmente não consigo ficar parada.

— Dói? Andar?

— Um pouco. — Ela lhe serviu mais uma taça de vinho. — O que achou do meu jardim?

— A grama está alta.

— Então ela é toda sua.

São Paulo, fevereiro de 1999.

Gabriel trabalhava com afinco para que o jardim de Irene desse resultados. Deleitava-se sujando as mãos, tratando de sementes e raízes com a habilidade de um profissional experiente, seus olhos ardendo em razão do suor que escorria pelo rosto. Algumas plantas já tinham brotado, sem dificuldades, graças ao solo enriquecido. Sentia-se feliz, não se importando com o que Judite dizia sobre ele ou como estava sua moral entre as mulheres daquela sociedade hipócrita.

Até que Laura — o tipo de mulher que se assemelhava a uma boneca de porcelana, com suas roupas caras e elegantes — fez uma visita a Irene e cruzou com ele no corredor da casa. O jeito como ela o olhou fez Gabriel se sentir minúsculo. Depois de Laura, outras senhoras também resolveram aparecer na casa da madame em visitas supostamente despretensiosas.

— Não estamos fazendo nada considerado imoral, estamos? — disse Irene.

— Tenho certeza de que elas não pensam assim — rebateu Gabriel.

— Porque sofrem a síndrome da mente vazia. Não se preocupe com isso, Gabriel.

Irene não dava a mínima para o falatório, mas, quando a fofoca passou a envolver sua nova patroa, ele sentiu culpa por ela. A responsabilidade era toda dele pelo surgimento dessa atmosfera despudorada e avessa à mulher que Irene era.

A situação piorou quando Ulisses apareceu no condomínio com o cabelo molhado e a roupa amarrotada, parecendo ter sido colocada de qualquer jeito. Exibia uma expressão carregada que não combinava com ele. Gabriel pensou que o ex-patrão gostaria de falar com Irene, mas estava errado.

— O que faz aqui, seu moleque?

Seu tom era ríspido, e Gabriel olhava para ele à procura do homem simpático que conhecera.

— Exijo explicações! — disse Ulisses.

Gabriel largou o pequeno rastelo na grama e se ergueu, limpando as mãos sujas de areia na calça.

— Boa tarde para o senhor também. — Ele notou o maxilar do homem enrijecer. — Posso ajudá-lo em algo?

Ulisses deu uma risada amarga.

— Você está de brincadeira?

— Não, sr. Rifólis.

Ulisses lançou um longo olhar de desconfiança sobre Gabriel, fazendo o estômago do jovem dar um nó.

— As amigas de Judite não falam sobre outra coisa — disse Ulisses.

Gabriel fechou os olhos. Sabia o que estava por vir.

— Você. Irene. Juntos... Não posso permitir.

— Não é verdade o que estão dizendo — esclareceu Gabriel.

— Ela é minha *amiga*!

A ênfase na palavra *amiga*, a aparência desmantelada, a raiva incontida. A preocupação constante com Irene. Recentemente, Gabriel descobrira que Ulisses pagava um dos rapazes da portaria para informá-lo sobre Irene, pois temia que ocorresse algo a ela por morar sozinha. Ele cuidava dela mesmo à distância, sem que ela imaginasse. Até o momento, Gabriel pensava que era a medida cautelosa de um grande amigo. Mas não, não era só isso. Irene, seu verdadeiro amor. Irineu, o falecido amigo que a conquistara pela naturalidade de suas ações.

— Sr. Rifólis — Gabriel suspirou fundo, parecendo exausto —, não existe Irene e eu. Não sei o que lhe disseram, mas estou aqui porque não tinha outro lugar para ficar. Tenho verdadeiro respeito pela madame.

— Respeito? Você também tinha respeito por mim, não é mesmo?! Agora ouço histórias sobre você e as amigas da minha esposa em nossa propriedade, na casa que lhe confiei.

Gabriel se sentia enjoado. Aquelas histórias ganhavam vida própria. Teve vontade de dizer que Ulisses estava errado, que na grande maioria das vezes o que ele sugeria aconteceu em outros lugares, porque a casinha não era tão confortável aos olhos delas, sempre acostumadas com luxo. Elas gostavam de transar com ele, mas não gostavam do mundinho dele. E Judite sentia ciúme das outras. Fator quase tão determinante quanto o primeiro, o tipo de informação proibida porque incluía Judite. O ex-patrão continuava sem saber que ele tivera um caso com a esposa dele. Do pior, ele não sabia.

— E você namorava a minha filha! — Ulisses praticamente cuspira aquelas palavras.

— A filha que se mandou para a África.

— E você acha que isso muda alguma coisa? — Dava para ver o contorno de um músculo na bochecha de Ulisses. — Ela viajou acreditando que você seria fiel. Eu a conheço, Gabriel.

— Não seja ingênuo. Nem ao menos nos despedimos.

— Ela me deixou um bilhete. É o jeito dela de lidar com as coisas.

Gabriel parecia engasgado. Conversar com o ex-patrão soava cada vez mais infrutífero. Melhor seria que ele conversasse com Irene e o deixasse em paz.

— Eu acho que... É melhor o senhor me acompanhar até a madame. Ela ficará feliz em vê-lo.

Ulisses hesitou, ainda tomado pelo calor da discussão. Então permitiu que Gabriel o conduzisse e entrasse no hall, sentindo uma raiva flamejante do rapaz que o enganara e que agora agia como se fosse dono da casa de Irene.

A madame descansava em uma poltrona no quarto, com as pernas no apoio. Acariciava um gato persa com as mãos, e tanto Gabriel quanto Ulisses ficaram observando-a por alguns instantes sem dizer uma palavra. Gabriel reparou que a postura corporal do ex-patrão havia mudado e que seu semblante relaxara. Um pouco deslocado pelas constatações recentes, ele se adiantou quarto adentro e chamou por Irene.

— Senhora. Perdoe-me por...

— Irene — Ulisses invadiu o quarto, interrompendo Gabriel. — Pode conversar?

Ela parou de acariciar o gato e olhou para os dois, então assentiu discretamente para Ulisses. Gabriel notou que o maxilar de Irene estava tenso. Ela, assim como ele, sabia o que significava a presença ansiosa de Ulisses.

— Senhora, preciso terminar de preparar o solo para uma plantação. Posso...?

— Claro. Obrigada, Gabriel.

Ele se afastou do quarto quase correndo, extremamente preocupado. A fama que Irene ganhara por causa dele era de partir o coração de qualquer pessoa que a conhecesse de verdade.

Gabriel também não gostava de pensar nas coisas que o ex-patrão estaria dizendo a Irene agora que tinha conhecimento dos seus relacionamentos extravagantes. Não era novidade para Irene, claro, mas ele se sentia desconfortável mesmo assim.

Mais tarde, Ulisses passou por Gabriel ao ir embora e o ignorou completamente. Não parecia furioso como antes, mas havia mantido a postura antagônica. Ele esperou um pouco e guardou todo o material que usava no jardim. Queria conversar com Irene.

Gabriel a encontrou na cozinha, bebendo uma xícara de café. Ela se virou para olhá-lo.

— Ulisses já foi — informou Irene.

— Eu vi. Como foi a conversa? — perguntou Gabriel, acomodando-se na mesa.

— Normal. — Irene se sentou ao lado dele. — Ulisses está preocupado por você morar aqui. Nervoso com as fofocas da mulherada.

— A senhora concorda com ele?

Irene olhou atentamente para Gabriel, então respondeu:

— Não. E posso falar com propriedade que não temos nenhum caso.

— A avaliação dele não se resume a nós, Irene, você sabe disso — retrucou Gabriel, com amargura.

— Sim. Existe a interpretação dele sobre eventos da sua própria vida, Gabriel. O diretor, o guarda... Pessoas que fazem parte da sua história, não da dele.

— Imagine quando ele descobrir sobre Judite e eu.

— É uma boa observação, mas Judite levará isso para o túmulo. Acredite ou não, Gabriel, ela é quem apimenta essas fofocas.

— Eu sei.

— Atormenta Ulisses dia e noite. Sempre foi assim.

Gabriel a observou morder uma bolacha de água e sal. Irene parecia longe, muito longe. Presa em antigas reminiscências. Ele não conseguiu se conter.

— Por que não se casou com ele?

— De quem está falando? — Irene estava confusa.

— Do sr. Rifólis. Ele é um cara legal. Visivelmente apaixonado por você. Poderia ter impedido que ele se casasse com aquela mulher.

Irene limpou os farelos de bolacha que haviam caído sobre a mesa. Estava sem jeito.

— Não é tão simples assim — declarou ela. — Eu me apaixonei por Irineu. Sempre enxerguei em Ulisses a figura de um amigo.

— Ele ficou numa boa com o Irineu? Digo, eles eram amigos, não eram?

— Como você...?

Mas Gabriel não a deixou continuar:

— Ele me falou de um amor do passado. Quando eu ainda trabalhava na casa dele. E contou que não deu certo, que você gostou de um amigo dele. — Gabriel analisou a expressão dela. — Ele não mencionou seu nome. Eu descobri hoje ao olhá-lo com mais atenção. Ulisses te ama.

Ela corou diante da veemência das últimas palavras, então disse:

— Eles... ficaram sem se falar. Foi difícil, porque Ulisses era como um irmão para Irineu. Não sei se consegue entender como a minha posição é delicada...

Irineu era mais velho que Irene. Era filho único de uma família abastada. Não mantinha relações com tios ou primos, mas tinha em Ulisses o seu melhor amigo, um irmão de coração. Juntos, eles abriram um escritório de advocacia.

Ulisses conheceu Irene muito antes de Irineu, porém não teve seus sentimentos amorosos correspondidos por ela. Eles ficaram amigos, mas ela se apaixonou por Irineu assim que o viu. Ulisses não esperava tamanho golpe do destino, acreditava que com o tempo ela passaria a amá-lo. Não foi o que aconteceu, e Irene suspeita que Ulisses se casou com Judite por desespero. Ela fazia o tipo alegre, elegante, e investiu nele. Foi algo como "dar valor a quem merece".

Os rapazes se afastaram como amigos, mas mantiveram a sociedade; tratavam apenas de assuntos profissionais, apenas o estritamente necessário. Quando Irineu sofreu o acidente de carro, Ulisses foi quem recebeu a notícia no escritório. Chocado demais, ele procurou por Irene pela primeira vez em anos e descobriu que ela fazia compras nos Estados Unidos.

— Ele não mencionou o filho de vocês na ligação? — perguntou Gabriel.

— Eu desmaiei antes.

Gabriel se concentrara com tanto empenho na história que não pôde deixar de se solidarizar com o sr. Rifólis, Irene e Irineu. A vida é tão fugaz. Ninguém deveria desperdiçar o tempo como se ele não fosse acabar.

— A morte é um processo natural — disse Irene, trazendo Gabriel de volta ao presente. — Porém nunca estamos preparados para dar adeus e lidar com a ausência. Dilacera a alma saber que nunca mais veremos quem amamos, sentir lembranças antes vivas se esmiuçarem em pequenos fragmentos. — Lágrimas escorreram dos olhos dela. — Mas a morte também é capaz de unir rivais e aniquilar divergências. Depois daquele dia, Ulisses voltou a ser presente e até hoje me ajuda em tudo o que preciso. A amizade dele é uma dádiva.

Irene assoou o nariz e tentou limpar o rosto com as mãos.

— Tenho que ir ao banco — disse ela.

Gabriel remexeu nos bolsos e lhe entregou um lenço.

— Pegue. Por favor. Não está sujo.

Irene aceitou, agradecida.

— Você é um cavalheiro.

Ele se limitou a sorrir.

— Será que Ulisses voltará a falar comigo? Como antes?

— Dê tempo ao tempo — respondeu Irene, devolvendo-lhe o lenço. — Não há nada que você possa fazer agora.

E com um pedido de licença se retirou, cambaleando para os lados.

São Paulo, fevereiro de 1999.

Ela observava como a elite paulistana ficava quase isolada da poluição, da violência da grande metrópole, da confusão diária nos veículos públicos de transporte. Dinheiro não era apenas luxo, mas também proteção. Conforto. Ali, ninguém estava contaminado pela falta dele. Aquelas pessoas desconheciam a extrema pobreza. Serra Leoa, o país paupérrimo, era uma realidade completamente paralela.

Alice suspirou, colando a testa no vidro do carro. O condomínio em que Irene morava se aproximava. Sem dúvida, ela ficaria muito mais à vontade na casa da velha amiga.

Quando o táxi estacionou diante da grande residência, Alice reconheceu Gabriel entre os arbustos, mesmo estando de costas. Ele realizava a poda habilmente e também parecia mais forte, algo distante do menino que ela conhecera na estação.

Alice saiu do carro e fez um gesto para que o taxista recebesse o dinheiro e descesse as malas. Ela caminhou em direção a Gabriel, que, com a sensação de ser observado, virou-se. Tudo aconteceu numa fração de segundo. Seus olhares se cruzaram. Os olhos dela encheram-se de lágrimas. Ele deixou a tesoura cair no gramado. Então, eles correram na direção um do outro e, ao se encontrarem, fundiram-se em um longo abraço, tornando-se um único ser, indivisível.

— Não acredito. — Gabriel levantou o rosto de Alice com as mãos. — É você? Ou o sol quente está afetando o meu juízo?

— Sim, sou eu — respondeu ela, o rosto molhado e as pálpebras vermelhas. — Estou de volta.

Ele riu de felicidade e a ergueu do chão, girando-a. O taxista, que observava a cena, sorriu pelo casal e deu partida no carro, indo embora. Ao parar de girá-la, Gabriel beijou-lhe o lábio inferior, mas ela pareceu hesitar, como se uma parte dela se assustasse com a intimidade. Porém, era o Gabriel. O amor da sua vida. Não o desconhecido que a violentara. Ela então cedeu e eles se beijaram, suas mãos se perdendo nos cabelos suados dele.

Sem parar de beijá-la, Gabriel ergueu-a no colo, levando-a para dentro da casa como se estivesse condicionado. Seu mundo era Alice e nada mais importava, somente o corpo dela junto ao seu. Ele a deitou na cama e abriu os botões de sua blusa, sentindo o cheiro almíscar da pele dela enlouquecê-lo de tanto desejo. Gabriel beijou-lhe o pescoço. Seios. Lábios. Ela deixava escapar sons, murmurava que o amava, apertava-o contra si e, quando ele se ergueu para tirar a camiseta, Alice passou as mãos no peito dele, seus dedos enroscando-se nos poucos pelos. Ele se deitou sobre ela.

— ♦ —

Não era sonho, não era miragem. *Ela dormia ao lado dele.* Gabriel piscou duas vezes. A coisa toda acontecera tão de repente que ele quase caiu da cama ao ver o rosto de Alice tão próximo ao seu. Ele podia contar todas as sardas do rosto dela se quisesse. Ou melhor, se pudesse! Uma sensação estranha e desconhecida de sufocamento começara a subir em seu peito, enchendo-o de medo. Alice parecia abatida, vulnerável. Tinha marcas de ferimentos que não sararam completamente espalhadas pelo corpo. Que diabos acontecera com ela? Não saberia dizer, mas ela se entregou com doçura, em busca de carinho, e ambos ignoraram a conversa necessária antes de partirem para a cama como dois desesperados.

Gabriel queria falar sobre o bilhete, o pai dela e seus relacionamentos extravagantes. Muita coisa havia acontecido, e depois que a verdade viesse à tona a atmosfera mágica que os envolvera se dissiparia. Ele ficara muito magoado com aquele bilhete. Ela não podia voltar e agir como se nada tivesse mudado. Tudo mudou! Ele não era o mesmo, e certamente ela também não. Gabriel chorou em silêncio com os braços sobre a cabeça e, sem perceber que balançava a cama, acordou Alice.

— Gabriel? Está chorando? Mas por quê?

Ele se assustou. Há quanto tempo ela o observava?

— Não quero que me veja assim.

Alice ficou calada. Quando o silêncio começou a se tornar constrangedor, ela disse:

— Em muitos momentos tive a sensação de que não o conhecia.

— E mesmo assim me colocou para dentro da sua casa. Tenho uma dívida com você que jamais conseguirei pagar.

— Sim, mas... não se trata disso.

Ele se virou para ela, esperando uma explicação.

— É que todos nós usamos máscaras para viver em sociedade — disse Alice. — Quando vejo você chorando, sei que não está escondendo sentimentos. Não se trata de um comportamento contido. Você está sendo verdadeiro com suas emoções.

— Todas as emoções, contidas ou não, boas ou ruins, são verdadeiras. O inseguro se comporta de forma extremamente contida. A emoção que o domina é o medo.

Alice controlou a respiração antes de responder, mas, notando que ele a observava silenciosamente, optou por mudar o foco.

— Quer conversar?

— Quero, sim. — Gabriel mordeu os lábios antes de prosseguir: — Talvez sobre a emoção contida que vejo no fundo do seu olhar.

Alice foi pega de surpresa. Ele foi rápido e direto demais.

— É que... — Havia um silêncio constrangedor. Então, ele olhou para ela e as palavras fluíram: — Notei que possui marcas espalhadas pelo corpo. De ferimentos graves. E, como toda máscara, a sua não oculta os olhos. Os olhos são a janela da alma. Você não está bem. Posso afirmar.

Eles se observaram em silêncio, as palavras dele fazendo eco dentro dela.

— Uau. Fui pega desprevenida — brincou ela, na tentativa de fazê-lo rir. Mas ele não estava rindo.

— Serra Leoa continua em guerra civil — disse ele, impassível. — Há trabalho pra você por lá.

— Quer que eu volte?

Ele fechou a cara. Ela notou. As máscaras caíram.

— Não. Apenas quero entender por que voltou ao Brasil antes de a guerra acabar.

A expressão dela estava tensa e contraída.

— Você foi decidida pra essa guerra, como se nada mais importasse. Despediu-se de mim por bilhete. *Um bilhete.*

Alice piscou, não contava com aquilo.

— Não foi fácil viajar...

— Nunca mais nos falamos depois disso — interrompeu Gabriel. — Já pensou, Alice, na probabilidade bastante óbvia de não sermos mais os mesmos? Eu mudei. Você também! Não é certo sumir e voltar como se nada tivesse acontecido.

Alice parecia atordoada, mas respondeu:

— É importante que seja mais específico. Se quiser terminar, diga logo. Por favor.

— Não há como terminar algo inexistente — disse Gabriel. — Aconteceu muita coisa no período em que ficamos afastados.

— Você não esperou por mim. É isso?

Gabriel ficou em pé para se vestir. Alice era muito ingênua.

— Preciso de uma resposta — disse ela, prestes a chorar.

Gabriel dirigiu-lhe um olhar analítico. Imaginou esse reencontro diversas vezes, mas agora não conseguia jogar na cara dela toda a sua frustração. Dizer como ela o arrasara por abandoná-lo. *Um bilhete.*

— Não vou mentir — disse ele, tentando soar leve. — É claro que não esperei. Fiquei muito magoado.

— Você sabia que era o meu sonho.

— Mas eu fiquei em segundo plano — afirmou o jovem, sem olhar para ela. — Também tive medo. Por razões que não se restringem a nós. Você foi pra uma zona de guerra.

Alice fechou os olhos, levemente tonta e, sem qualquer aviso prévio, numa cena completamente inesperada, seu semblante se contorceu, incapaz de reter o pranto. Ela soluçava, derramando todas as lágrimas que guardava no peito, como num desabafo urgente e desesperado. Um lamento profundo e inconsolável.

— Alice, ouça-me. — Gabriel se sentia responsável pelo desequilíbrio emocional dela. — Perdoe-me se a magoei. Eu... eu só disse *palavras*. Nada além de *palavras*. Não podemos dar tanto poder a elas, principalmente nessas situações. Doeu muito ficar sem você. Sofri por não me despedir. Temia a guerra, a distância e a ideia de talvez nunca mais abraçá-la, beijá-la. Não foi fácil. O importante é que... não sou indiferente.

— É que você... — Era difícil entender o que ela dizia, porque sua voz estava excessivamente prejudicada pelo pranto. — Você... você sempre esteve certo sobre Serra Leoa. Eu nunca deveria ter ido. Sonho todas as noites com *eles*.

Ouvir aquilo paralisou Gabriel.

— Você se arrepende de Serra Leoa? — questionou ele.

Ela chorou ainda mais.

— Calma... Com quem você sonha? — perguntou Gabriel, sentando-se na cama.

— Sonho com os meninos que ajudávamos e morreram. Amigos que também morreram. *Mortes. Mortes. Mortes. Mortes.* Eu mesma quase morri.

A voz dela falhou de vez. Automaticamente, ele a puxou para perto, abraçando-a. Estava muito confuso. Ela se arrependia de Serra Leoa? Não dava pra acreditar. Ela quase morreu? Então ele pensou nas marcas de ferimentos no corpo dela e estremeceu. Sem saber, havia adentrado um terreno delicado. Como podia ser tão burro?

Ele apoiou o rosto no alto da cabeça dela, como se pedisse desculpas. Ela permaneceu imóvel, mas pouco tempo depois lhe agarrou o braço e apoiou a cabeça no ombro dele. Gabriel decidiu esperar que ela adormecesse para deixar o quarto.

—◆—

Gabriel desceu a escada pensando em Alice, angustiado com as revelações sobre Serra Leoa. Acreditava que a garota vivia algum tipo de estresse pós-traumático. Então ouviu Irene, dando-se conta de sua presença na casa.

— Gabriel, venha cá um instante. — A voz vinha da sala, e ele se dirigiu até lá. — Encontrei essas malas no gramado, suas ferramentas de trabalho jogadas. Você nunca esqueceu nenhuma ferramenta no jardim. E ainda tem essas malas...

Gabriel se sentou diante dela.

— As malas são da Alice.

— Alice? — Um brilho de compreensão iluminou o semblante de Irene. — Oh, meu Deus. Não acredito! Que notícia mais feliz!

— Ela está hospedada aqui. — Gabriel juntou os lábios e sorriu. — Por enquanto, sem o conhecimento dos pais.

A sala ficou em silêncio. A expressão final de Gabriel insinuava que algo não ia bem.

— Temos que avisá-los — disse Irene, subitamente alarmada, pegando o telefone.

— Não ligue para eles... ainda — pediu Gabriel com delicadeza. — Em questão de horas Ulisses descobrirá que a filha está no Brasil.

"Especificamente na sua casa", pensou.

Irene refletiu sobre as lacunas existentes na afirmação de Gabriel, mas, por fim, recolocou o telefone no gancho.

— Obrigado.

— Por que a minha doce Alice escolheu vir para cá?

— Provavelmente pela afinidade que possui com a senhora. Ela se sente bem aqui. — Gabriel se serviu de um copo de uísque, as lembranças dos recentes momentos com Alice rodavam em sua cabeça. — Eu a levei para o meu quarto, ela parecia bastante vulnerável. — Soltou as palavras olhando para o copo. Irene estreitou os olhos. Gabriel deu um gole no uísque. — Eu me senti pleno ao abraçá-la e... foi como fogo e gasolina, meu coração quase explodiu dentro do peito.

Irene suspirou, então perguntou:

— Não tiraram nem um minuto para conversar?

— Não — respondeu Gabriel, corando. — Quero dizer, depois nós conversamos. Eu contei a ela que... que eu não esperei pelo regresso dela, mas não mencionei nomes ou situações. Também não falei do pai dela. Na verdade, não consegui dizer muita coisa. Alice está frágil.

— Frágil como?

— Ela revelou que perdeu pessoas na guerra. Muitos meninos do programa de desmobilização, assim como amigos. Ela mesma quase morreu. — Ele fez uma pausa, deixando suas palavras se perderem no ar. — Alice se arrependeu de ter ido a Serra Leoa.

— Ela diz que se arrepende? Mas... não faz sentido...

— Alice é uma sobrevivente de guerra, no sentido literal da palavra. Ela foi uma voluntária determinada, mas se arrependeu. É bastante comum.

— É traumatizante, com certeza — concordou Irene. — Apenas tenho a impressão de que no caso dela talvez exista um peso maior.

— Ela chorava muito. Mal conseguia falar.

Irene se levantou do sofá.

— Gostaria de vê-la — disse a dona da casa.

— Deixe-a acordar primeiro — Gabriel sugeriu com sensatez.

— Estou explodindo de saudade. — Irene hesitou por alguns instantes. — Mas você está certo. Vou esperar. Eu só pretendia vê-la de longe.

Gabriel fitou Irene nos olhos, em busca das palavras certas.

— Irene, uma hora eu terei que contar toda a verdade a Alice.

Irene arqueou uma sobrancelha e voltou a se sentar. Gabriel continuou:

— Ulisses está atrás de mim feito o Tom. Eu sou o Jerry para ele. O rato que ele despreza. — Gabriel fez uma pausa, o pensamento longe. — Ele não me quer perto de Alice. Prefiro que ela conheça a verdade pela minha boca.

— Você mesmo disse que ela é uma sobrevivente de guerra. Que está frágil. Não chegou o momento de falarmos dos acontecimentos ruins.

— Então tente enfiar isso na cabeça do sr. Rifólis — disse ele, com rebeldia. — Logo mais ele estará aqui.

— Por que diz isso? Falou com ele, afinal?

Gabriel sorriu com amargura.

— Não, Irene. Eu não falei. Ele me detesta — respondeu, tentando soar indiferente. — O fato é que uma hora ele vai saber.

O dia escurecera. Eles permaneceram na sala, entretidos com os próprios pensamentos, relativamente alheios à presença um do outro. Alice continuava a dormir pesado.

— Provavelmente ela não dormia há dias — murmurou Irene.

— Mais uma prova de que sua casa é o porto seguro dela — completou Gabriel.

Um som de carro estacionando com brutalidade chamou-lhes a atenção. Irene esticou o pescoço para visualizar através das paredes de vidro e reconheceu a figura de Ulisses.

— Parece que você tem uma bola de cristal, Gabriel — comentou ela. — Ulisses veio mais rápido do que eu imaginava.

Gabriel não disse nada, preferiu não se intrometer. É claro que o sujeito da portaria bateu um fio para o sr. Rifólis.

— Eu passei na padaria do Bolinha e encontrei o Felipe — disse Ulisses ao entrar.

— O porteiro aqui do condomínio? — perguntou Irene.

— Sim. Ele disse que viu Alice. Penso que é um engano, mas ele afirmou com tanta convicção...

O semblante de Gabriel permanecia inalterado. Tinha certeza de que o ex-patrão não estivera na padaria do Bolinha.

— Ele não se enganou — respondeu Irene. — Alice voltou. Está hospedada aqui.

Ulisses se sentou no sofá.

— Por que não me contou, Irene?

— Ora, Ulisses. Eu ia te contar. É que ainda não falei com ela. Estive fora, quando cheguei em casa sua menina dormia. Gabriel cuidou dela.

O rosto de Ulisses se fechou.

— Ela estava muito cansada e frágil — disse Gabriel depressa, percebendo um pouco tarde que soava muito esclarecedor. — Achei melhor colocá-la pra dormir.

— Colocá-la pra dormir? — perguntou Ulisses com frieza. Depois desviou o olhar para Irene. — Não concordo com essa aproximação.

— Mesmo que seja pelo bem dela? — perguntou Irene. — Alice ama o Gabriel.

— Porque não sabe que o "namorado" agiu como garoto de programa em sua ausência — replicou Ulisses.

Gabriel se levantou com uma expressão furiosa. Talvez, se não estivesse na sala da madame Irene, tivesse acertado um murro na cara do sr. Rifólis. Ele merecia todas as críticas, mas tinha coração. Doía ser pisoteado por Ulisses toda vez que o encontrava.

— Eu quero contar a ela, mas Irene não acha que seja o momento — disse Gabriel.

— Devemos ser cautelosos, Ulisses — disse Irene com firmeza. — Alice está traumatizada pela guerra. Não é bom fragilizá-la ainda mais.

— Não que eu lhe deva satisfações, sr. Rifólis, mas já contei a Alice que não esperei por ela — revelou Gabriel, a raiva fervendo dentro dele. — Não sou tão cachorro quanto o senhor pensa.

Ulisses respirou fundo, então disse:

— Certo. Quero vê-la. E também levá-la para casa.

— Se for da vontade dela, não faremos oposição — assegurou Irene.

Ulisses se irritou por Irene falar no plural. Confiança é como cristal: uma vez quebrada, não há como ser recuperada. E ele não confiava em Gabriel. A aproximação dela com o rapaz lhe roubava a paz. Mas preferiu não dizer nada, limitando-se a uma expressão séria e um aceno de cabeça quase imperceptível. Gabriel conseguia enxergar a dor por trás do semblante sério do ex-patrão, e algo nele se identificava com aquilo. Ele via a própria revolta refletida ali.

Pouco tempo depois, Alice surgiu na sala com os cabelos despenteados e o sorriso estampado nos lábios. Seu pai correu para abraçá-la, e ambos choraram. Choraram de alegria pelo reencontro, pela oportunidade de voltarem a conviver e, principalmente, pelas palavras não ditas. Gabriel notou que Irene também fora tomada pela emoção. Ele próprio segurava as lágrimas. Alice se desprendeu do pai e correu até a amiga, explodindo em lágrimas ao abraçá-la. Gabriel reconheceu serem lágrimas de desabafo, um pedido de socorro. Irene percebeu e trocou olhares com ele. Ela beijou a menina na testa e apertou sua mão, os olhos prometendo uma conversa a sós.

Eles jantaram, conversaram sobre os problemas políticos de Serra Leoa, a preocupação da ONU e a falta de esperança que arrasara uma nação. Ulisses pediu desculpas por não ter sido indulgente com Alice, mas, emocionado, revelou que ela era o orgulho de sua vida. A jovem, claro, estava muito emotiva. Parecia à beira das lágrimas a cada minuto. Gabriel percebia como suas emoções se alternavam entre a felicidade em estar de volta e a tristeza pelo que viveu na África.

Ninguém mencionou Judite até o momento em que pai e filha se despediram, com Alice prometendo visitar a mãe assim que pudesse. Ulisses acatou a decisão dela em ficar e também no que se referia a Judite. Ele achou a filha pálida, magra e abalada. E, como mãe e filha brigavam muito, talvez fosse melhor esperar que a menina se recuperasse. Não a queria próxima de Gabriel, mas não via alternativa. "Talvez seja melhor assim", pensou, conformado.

São Paulo, janeiro de 2000.

Alice e Gabriel permaneciam juntos. A relação não era segredo para ninguém, mesmo que não houvesse aprovação. O casal contava com o apoio e a defesa de Irene, que fazia questão de enfatizar que Alice não estava no Brasil quando Gabriel se envolveu com sicrana, fulana e beltrana.

Alice visitara a mãe poucas vezes. A relação, que já era difícil, estava insuportável graças aos comentários ácidos de Judite contra Gabriel, a menção constante das coisas que ele ganhara de suas amigas, a absurda insinuação de que ele tivera um caso com Irene, a sua fuga do guarda, a agressão contra o diretor da instituição. Para surpresa de Alice, o pai acreditava na mãe e detestava Gabriel.

Alice sabia que aquilo tudo era verdade. Gabriel se envolvera com muitas daquelas mulheres, mas, quando o pai se referiu a ele como garoto de programa, ela se deu conta de como as pessoas eram preconceituosas. Gabriel era pobre, jovem e bonito. Relacionar-se com mulheres ricas e mais velhas não o tornava indigno. E ela estava presente quando o viu entrar na estação, tendo jamais esquecido seu semblante triste e derrotado. Ele era apenas um garoto assustado, discriminado por sua aparência suja e desmazelada.

Gabriel não negou nada a Alice. Ele se desentendera com o diretor do abrigo e temeu o guarda por essa razão. Ele não esperou por ela. Teve outros relacionamentos, porém não detalhou a natureza desses envolvimentos, não especificou que usara a aparência para obter benefícios. Em relação a Irene, tudo não passava de fofocas injustas contra a mulher que lhe estendera a mão. Já seu envolvimento com Judite continuava protegido pela própria, que jamais revelara qualquer coisa a respeito.

Alice tinha a saúde comprometida. Vivia doente. Irene achou melhor que Gabriel não contasse sobre Judite. E assim se passou quase um ano, com o casal morando com Irene. Gabriel continuou cuidando do jardim, e Alice passou a acompanhar a amiga em eventos de caridade. Devido à saúde instável, Alice não retomara seu trabalho como professora.

Certo dia Gabriel acordou com Alice febril. Já passava das dez horas da manhã, era tarde, considerando seu horário habitual. Ela gostava de levantar cedo para caminhar. Preocupado, ele vestiu a camiseta e deixou o quarto. Na sala, encontrou Irene com o gato no colo. Ela franziu o cenho ao vê-lo. Irene se instalara dentro dele e criara raízes. Ela o conhecia muito bem.

— O que aconteceu? — perguntou a senhora.

— Alice está com febre — respondeu Gabriel, rápido. — Estou preocupado. O que acha que pode ser?

— Não faço ideia. A saúde dela é frágil.

— Antes era normal.

Irene compreendeu que ele se referia a Serra Leoa. Escolheu ser prática.

— Vou chamar o motorista — disse ela, pegando o telefone. — Vá buscá-la. Em menos de dez minutos ele estará aqui para nos pegar.

Gabriel encontrou Alice quase inconsciente. Chamou por ela, mas não obteve resposta. Apenas murmúrios que ele não entendeu muito bem. Pegou-a no colo e desceu até o saguão.

No trajeto, Irene ligou do celular para o hospital. Gabriel sempre julgou o objeto caro e desnecessário, pequeno luxo para pessoas com dinheiro. Entretanto, naquele dia agradeceu pela existência do aparelho, pois profissionais da saúde os orientaram sobre como transportar Alice — de preferência, de lado, e não deixando de checar se ela respirava. Pouco tempo depois, eles chegaram ao hospital e uma maca já estava à espera.

Aguardar por notícias em sala de espera de hospital é quase sempre torturante. É sentir que o medo e a esperança não coexistem bem no mesmo espaço. É andar pra lá e pra cá, no limite da ansiedade. É permanecer sentado, preso numa angústia indescritível. Gabriel tentava ocupar a cabeça observando o nariz das pessoas, o que era incrivelmente divertido. Narizes são engraçados se você os observar atentamente. Fazer isso o relaxou. Irene conversava com uma mãe bastante aflita, exercendo o que ela sabia fazer de melhor: ser gentil com quem mais precisava.

Depois de muito tempo, o médico responsável por Alice surgiu para informar que ela estava com pneumonia bacteriana.

— Realizamos um hemograma, que indicou enfraquecimento do sistema imunológico. Pedi alguns exames complementares para descartar hipóteses mais graves. Ela tem feito algum tratamento?

— Não que eu saiba — respondeu Irene, levemente apreensiva. — Mas ela está sempre muito cansada e gripada, demora a se restabelecer...

— Isso é em decorrência da instabilidade climática — argumentou Gabriel.

Um breve silêncio se instalou. A temperatura estava instável, mas nenhum deles vivia doente.

— O.k., vamos apenas garantir que ela seja bem assistida — disse o médico, que sorriu e saiu.

Gabriel deu passos nervosos de volta ao assento. Não via mais graça em rir dos narizes alheios, nem mesmo o do médico, que era feio, grande e adunco.

As horas se tornaram insuportáveis. Irene adormecera na cadeira. Pela janela, Gabriel constatou que anoitecera. Nada de notícias. Nada do médico. Ele não tinha mais unha para roer quando chamaram por eles.

Gabriel e Irene foram conduzidos a uma sala com dois médicos. O médico do nariz adunco conversava com o outro, um sujeito ruivo e meio careca, com o semblante bastante sério.

— O dr. Sebastiano é infectologista — disse o primeiro médico, referindo-se ao profissional ruivo. — Ele conversará com vocês sobre o quadro da paciente.

— Pensei que ela estivesse com pneumonia bacteriana — observou Gabriel, pouco à vontade.

— Você é o namorado dela? — perguntou o dr. Sebastiano, avaliativo. Gabriel trocou olhares com Irene.

— Sim — respondeu ele, engolindo em seco.

— Então talvez seja melhor conversarmos a sós — disse o médico ruivo, como se Gabriel fosse um porco indo para o abate. — Realizamos um exame de sangue específico, e o tipo de doença da sua namorada afeta pessoas com doenças crônicas e imunodeprimidas. Bem, é necessário que você se submeta ao mesmo exame específico em decorrência de possível infecção.

Um silêncio pesado tomou conta do recinto. Gabriel então ouviu a voz de Irene:

— Qual é o diagnóstico? — reagiu ela, adquirindo uma súbita expressão de firmeza. — Alice é como uma filha pra mim. De verdade. Acho que... está rolando um tratamento desigual aqui. Vocês não estão sendo claros.

— A discrição faz parte do protocolo — esclareceu o médico do nariz adunco, como se tivesse decorado um artigo científico.

Gabriel sentia que havia perdido alguma coisa. Aquela conversa não encontrava sentido dentro dele. O dr. Sebastiano retomou:

— Sei que há muitos avanços no tratamento, mas, quando se aborda a infecção com excesso de medo ou sutileza, me parece que a mentalidade das pessoas não acompanha a evolução da ciência. Ainda existe muita discriminação.

— Nós entendemos que a senhora está emocionalmente abalada... — disse o outro médico.

— É claro que estou abalada — interrompeu Irene. — Mas isso não quer dizer que vocês estejam corretos em condenar a paciente. Incluir o namorado dela nisso...

— Não estamos condenando ninguém. Somos profissionais da saúde.

Gabriel não ouviu o restante. Sentia-se zonzo, quase sem ar.

— O que ela tem? — conseguiu perguntar, num sussurro.

Todos se viraram para ele. O dr. Sebastiano suspirou antes de responder:

— Sorologia positiva para o HIV.

São Paulo, janeiro de 2000.

Alice está com aids. Gabriel ficou imóvel por um longo tempo. Jamais imaginou conhecer alguém portador do vírus HIV. Todas as personalidades famosas sucumbiram, mesmo com todo o dinheiro que possuíam. No abrigo havia uma criança órfã de pais que morreram de aids. Morreram. Alice estava condenada à morte.

— Não é possível — relutou Gabriel. — O diagnóstico só pode estar errado. Ela não tem aids.

— Alice é portadora do vírus HIV — esclareceu o dr. Sebastiano. — Ela terá uma vida praticamente normal se fizer acompanhamento clínico regular, monitoramento por meio de exames, uso correto dos medicamentos antirretrovirais e adquirir hábitos saudáveis.

— Ela vai morrer? — perguntou Gabriel.

— Veja, rapaz, nesses anos todos de epidemia não conseguimos combater o estigma que envolve a doença — respondeu o infectologista, com uma rápida olhada para Irene. — O tabu é muito grande, contribuindo para a nossa ignorância. É um problema social, na verdade.

— Existe vida após o HIV — disse o médico narigudo. — O quadro é grave, e não trágico. A doença pode ser controlada.

— Mas... — Gabriel tentou questionar.

— Mas ainda não tem cura — completou o dr. Sebastiano.

— Por ser uma doença incurável, pelo menos por enquanto, ela possui um viés assustador. A história da epidemia é monstruosa. A única que todos conhecem, mesmo com todo o avanço da ciência. Hoje, a maior batalha do HIV é contra o preconceito.

Irene fez um gesto de compreensão ao médico, que prosseguiu:

— Nem sempre encontramos as palavras certas. Já presenciei todos os tipos de reação nesta sala.

Gabriel permanecia imóvel como uma rocha. Aterrorizado demais para anular a rigidez que tomara conta dele. Ele não tinha como lutar contra a tensão que sentia.

— O diagnóstico está errado — disse ele novamente, com certa inflexão na voz. — Alice não me trairia. Eu não tenho HIV. De quem ela pegou?

— Você fez o exame respeitando o período da janela imunológica? — perguntou dr. Sebastiano.

"Eu nunca precisei fazer exame nenhum", pensou Gabriel.

— Eu não tenho nada, doutor.

— Pode ser que esteja assintomático. Vamos fazer o exame.

Gabriel não se moveu. Sentia o suor frio escorrer por suas costas, e a boca inesperadamente seca era incapaz de murmurar uma sílaba. Irene se aproximou dele.

— Gabriel, acabe com essa dúvida. Se der positivo, você não estará sozinho. Poderá fazer muitas coisas, viver muito.

— Como pode ter tanta certeza? — Os olhos dele buscaram os dela.

— Eu... eu ofereço apoio voluntário para pessoas que vivem com HIV. O maior problema é a discriminação. Você pode viver bem. Você e Alice poderão ter filhos.

Gabriel observou Irene com o semblante inescrutável. Ele tinha certeza de que não transmitira o vírus a Alice. Ele sempre usou camisinha. Exceto com Alice e, ironicamente, com Judite.

— Eu só transei sem camisinha com ela — sussurrou. — E algumas vezes com Judite.

— Judite também? Dependendo do resultado, você terá que falar com ela — disse Irene.

Gabriel abriu a boca para responder, mas fechou-a logo em seguida. Quando Alice voltou da África, ele já não dormia com Judite. Logo, se o resultado do exame desse positivo, ele não teria nada a conversar com Judite. E sim com Alice! Mas adiantaria bater de frente? Irene nem sequer notou que soou preconceituosa. Alice era a garota virtuosa. Ele era o ex-garoto de programa. Rótulos. Para todos os efeitos, por mais que ele dissesse que sempre usou preservativo, a culpa da transmissão recairia sobre ele. Isso se o seu exame desse positivo.

— A busca por culpados não resolve o problema e só dá continuidade ao processo de discriminação que começou no início da epidemia. — O dr. Sebastiano mantinha os olhos fixos em Gabriel. — Há diversas pessoas no mundo com sorologia desconhecida. O importante é saber que com o tratamento antirretroviral o portador do vírus HIV não desenvolve aids. Ele não está morrendo e não precisa se isolar do mundo. A carga viral no sangue é controlada.

Gabriel ouvia apenas o som de portas batendo, murmúrios de conversas entrecortadas, gritos de crianças não muito longe dali. E, por fim, o médico narigudo chamando-o pelo nome, fazendo com que ele se mantivesse presente naquela "reunião". Gabriel queria apenas bloquear todos os sons ao redor, mas não tinha esse poder. Pelo visto, não tinha o poder nem de ser saudável. Em um gesto automático, ele pegou um panfleto do Ministério da Saúde que estava sobre a mesa e o leu, com as mãos trêmulas:

> "Qualquer pessoa que tenha tido uma relação sexual sem camisinha pode ter contraído o vírus HIV, não importa idade, estado civil, classe social, gênero, orientação sexual, credo ou religião".

— Quero acabar logo com isso. Vou fazer o exame.

— ◆ —

Os sentimentos de Gabriel eram conflitantes. Ele permanecia em negação. Não aceitava o diagnóstico de Alice. Temia o resultado do exame que havia feito. Não queria ser soropositivo. Não pensava em outra coisa que não fosse o HIV.

Irene notou a agitação interna de Gabriel e sugeriu que eles fossem para casa descansar. Retornariam ao hospital na manhã do dia seguinte.

Naquela noite, Gabriel adormeceu rápido para logo ser despertado por pesadelos horríveis. Quando conseguiu se desligar do mundo novamente, só foi acordar nas primeiras horas do dia porque sentiu o colchão molhado. Era urina. Fazia anos que ele não tinha enurese noturna. Envergonhado, trocou toda a roupa de cama e tomou uma ducha antes de descer.

Durante o café, ele finalmente falou com Irene:

— Você já desconfiava, não é?

— Não tinha como ter certeza — respondeu Irene, remexendo uma tigela de cereais com leite, comendo apenas uma colher ou duas. — Mas ela apresentava os sintomas iniciais, e não desconsiderei o fato de a epidemia ser forte na África. — Ela fez uma pausa, medindo as palavras. — A maneira como Alice chegou... Não acho que ela tenha contado tudo.

— Que me colocou chifre? Não, ela realmente não contou.

— Não creio nisso, Gabriel, mas, supondo que Alice ficou com alguém, não configuro o ato como traição.

— Claro que não — comentou Gabriel com ironia.

Irene limpou a boca com um guardanapo.

— Como está se sentindo? — perguntou, desviando o assunto.

— Péssimo. — Gabriel se jogou contra a cadeira e cruzou os braços. — Não tenho o direito de ser feliz. Fui rejeitado duplamente quando criança. Agora, como forte candidato a portador do vírus HIV, mais rejeições me esperam.

Não havia autocomiseração em sua voz.

— Ontem, por um breve momento, você pareceu achar que a infecção da Alice era responsabilidade minha — murmurou Gabriel, virando-se para olhá-la. — Quando afirmou que, dependendo do meu exame, eu teria que falar com a megera da Judite.

— Foi um comentário infeliz.

— Pois é.

— Peço mil desculpas.

Eles ficaram calados por um bom tempo. Foi Irene quem quebrou o silêncio insuportável:

— Iniciar a terapia antirretroviral no começo reduz a carga viral e o risco de transmissão.
— Ainda assim eu terei HIV.
— Assim como eu tenho sequelas do AVC?
— Pálida comparação.
— Tudo bem — disse Irene, resignada. — E diabetes?
— Eu preferia ter diabetes — afirmou Gabriel.
— Tem certeza? Diabetes pode ser muito pior. Ela só não acarreta o estigma do HIV.
— Estigma é tudo o que eu não preciso.
— Você está falando como se tivesse recebido o resultado do exame.
— Porque eu espero o pior. Quando foi que algo deu certo na minha vida?

— ♦ —

Ele andava sem rumo pela avenida Paulista, com os olhos vermelhos de chorar. Sentia-se sujo. Imundo. Desprezível. O HIV não era mais o monstro de outrora, porém, como os médicos mencionaram, a história da epidemia prevalecia no imaginário coletivo. O tratamento não impediria os desinformados de pintá-lo como um bicho ameaçador, alguém que deixou de ser humano ao adquirir a identidade soropositiva. Ele sofreria rejeições de todos os tipos. Seu organismo recusaria ser saudável. Em breve, o mundo o excluiria, como se a sua cota de rejeição já não fosse suficientemente alta para uma vida inteira de amargura e solidão.

Ele abrira o resultado do exame na presença do infectologista, mas não quis ouvi-lo. Nem mesmo Irene. Sua reação foi correr para bem longe do hospital, desesperadamente.

Só parou de correr quando viu que ia vomitar. E vomitou. Vomitou muito. Até a barriga doer e uma mulher idosa se aproximar oferecendo ajuda. Será que ela se aproximaria se soubesse?

Gabriel agradeceu e se afastou, adentrando o parque Trianon em busca de refúgio. Sentia ódio do que Alice fizera. Não era capaz de perdoar a mulher que, voluntariamente, desgraçou a própria vida. Ele avisara, ele pedira. Ela não ouvira. Ela nem ao menos se despedira dele dignamente. Serra Leoa ocupava um espaço relativamente grande no coração dela. E o que ela fez lá? Contraiu HIV. Fez sexo com outra pessoa. Cadê a garota engajada nas desigualdades sociais?

Gabriel tinha o ímpeto de sumir e nunca mais aparecer na frente de Alice. Por muito menos ele desaparecera da vida de Natasha. Natasha. Depois de viver tanta coisa e atingir certo grau de amadurecimento, Gabriel conseguia visualizar os incidentes do passado com mais clareza. Ele estivera cego durante todo esse tempo. Natasha deu a vida por ele, lutou por ele, foi abusada por causa dele. Alice o condenou à morte.

Gabriel começou a chorar. Sabia que naquele momento seus pensamentos estavam alterados pela raiva e pelo medo. Ele queria ser imune ao HIV. Não dispunha de recursos psíquicos e emocionais para lidar com a infecção. E agora, mais do que nunca, não podia sair da casa da madame Irene. Precisava do apoio dela. Precisava voltar.

Um pouco trêmulo e com a postura levemente curvada, ele se dirigiu para fora do parque Trianon, percorrendo o caminho de volta ao hospital.

São Paulo, janeiro de 2000.

Ela desceu do carro, esforçando-se para não cair em desespero. Agia assim desde o momento em que recebera o diagnóstico. Não queria contagiar as pessoas com a sua melancolia, embora a aparência desleixada e precocemente envelhecida não passasse despercebida a ninguém.

Havia uma atmosfera derrotista em torno de Alice que refletia seu estado emocional. Assim como ela, o céu estava escuro e ameaçador, pronto para entrar em colapso e derramar suas lágrimas de fúria a qualquer momento.

Alice sentia que sua vida havia se tornado um filme ruim de gênero irregular, misturando tragédia, drama e ação com comédia de quinta categoria. Ela quase não sobrevivera ao ataque na unidade, não teria escapado da morte se não fosse o amigo Maxwell. E, com a guerra, a transmissão do vírus HIV era muito comum em Serra Leoa. De alguma maneira, mesmo que inconsciente, Alice temia a doença, uma vez que não tomou o coquetel retroviral quando foi vítima de estupro. E ela falhou. Falhou em não fazer o exame. Falhou em não alertar que talvez o sexo com ela não fosse seguro. Falhou em transar sem preservativo. Falhou, principalmente, em ignorar os efeitos nefastos do estupro sobre ela. Falhou em não procurar um profissional de saúde mental. Ela precisava de ajuda, mas escolheu ficar calada. Ou simplesmente não teve forças para agir de maneira diferente. O estupro quebra uma pessoa em diversos fragmentos, e Alice era um bom exemplo disso.

Ela adentrou a casa, acompanhada por Irene. Nenhum sinal de Gabriel. Apenas uma taça de vinho semivazia indicava que ele estivera na sala. Ele merecia uma explicação, pensava ela, mesmo que tardia.

— Está difícil pra ele — murmurou Irene, observando Alice. — Mas vai dar tudo certo. É uma questão de tempo.

Alice se sentia esgotada demais para dizer alguma coisa. Não estava menos complicado para ela, razão pela qual agradecia a ausência de Gabriel. Não seria fácil conversar com ele, remexer em suas emoções mais dolorosas para no fim ouvir que errou em ir para a África. Não que Gabriel estivesse errado em pensar assim. Serra Leoa, o país desgraçado, desgraçara a sua vida. Mas tudo o que ela mais desejava era não pensar nisso.

Alice desabou no sofá, cobrindo o rosto com as mãos. Como foi terminar nessa situação se o seu único objetivo era ajudar?

— Alice... — disse Irene, hesitante. Ela avaliava a postura triste e encurvada da jovem com um aperto no coração. — Você não quer falar... sobre o que aconteceu na África?

Alice estudou a fisionomia sempre calma de Irene, agora substituída por dor e aflição. Então balançou de leve a cabeça.

— Eu... não sei se é o momento. Primeiro terei que falar com o Gabriel.

— Entendo você, filha — assentiu Irene, sentando-se ao lado de Alice com a testa franzida. — Espero que entenda... entenda que precisei conversar com o seu pai.

Alice demorou um pouco para processar o que ouvira. Parecia chocante demais para ser verdade.

— Você o quê? — perguntou, por fim, sem esconder a indignação, vomitando as palavras. — Por que fez isso? É medo da minha sorologia positiva? Quer que eu vá embora da sua casa porque tenho o vírus da aids?! É isso, não é?! Diga logo de uma vez para que eu saia!

Irene encarou uma Alice descontrolada e notou que estava assustada.

— É claro que eu não quero que você saia daqui, Alice! Não seja tão impulsiva, por favor!

Alice estava pálida, mas manteve os olhos fixos em Irene.

— Seu pai te ama. Você precisa do apoio dele.

— Até parece que você não o conhece. Ele não saberá como me apoiar — retrucou Alice, levando as mãos ao topo da cabeça. — Ele não entende nada sobre HIV. Obviamente contará à minha mãe.

— Apesar de tudo, ela é a sua mãe.

— Irene... — Alice entrara em desespero. — Meus pais terão vergonha de mim. Sentirão medo de contrair a doença ao me tocar. Você sabe que eles vivem numa bolha!

— Alice...

— Você é boa demais, Irene. Jamais rejeitaria um filho soropositivo. — Alice balançava a cabeça, ainda incrédula com a atitude da amiga anfitriã. — Preciso de ajuda especializada. Ajuda de um bom psicólogo e de um infectologista. Não preciso visualizar o horror estampado no rosto dos meus pais. Você invadiu a minha intimidade! Mesmo que tenha sido com boas intenções!

— É possível que eles a rejeitem, sim, que não entendam o avanço da medicina — disse Irene. — Mas é muito importante que eles saibam que você precisa deles. Quanto ao resto, você está tendo a chance de desenvolver uma relação nova consigo mesma e também com todas as outras pessoas. Não alimente sentimentos negativos.

As duas ficaram em silêncio por alguns segundos. Por fim, Alice voltou a falar:

— Não consigo acreditar que tenha infringido a ética...

A jovem não concluiu a frase porque Gabriel desceu a escada e surgiu no meio da sala usando camiseta, calça jeans e meias.

— Acabei de ver pela janela o sr. Ulisses e a sra. Judite estacionarem o carro na frente da casa — disse Gabriel.

Irene e Alice trocam olhares. Nada mais precisava ser dito.

— Pode atendê-los? — pediu Irene.

— Eu? — perguntou Gabriel, visivelmente desconfortável. — Eu não sou a melhor pessoa para recebê-los.

Irene olhou através das paredes de vidro e visualizou o casal descendo do carro.

— Apenas abra a porta e os conduza até aqui — pediu ela, parecendo preocupada e agora evitando contato visual com Alice. — Vou preparar um chá de camomila para conversarmos.

Alice não pretendia participar de conversa alguma. Ela já se retirava da sala quando ouviu a porta se abrir e o som instantâneo de alguém sendo nocauteado. Ela se virou no

157

mesmo instante. Gabriel havia levado um soco na boca do estômago, mas reagiu rápido e se jogou para cima de Ulisses. Parada no hall de entrada, Judite exibia seu sorriso mais debochado, numa expressão marcada pela tensão.

— Pra que isso? — Gabriel imobilizara-o com uma chave de gancho. — Responda, homem! — vociferava ele, praticamente cuspindo na cara do sr. Rifólis.

Em resposta, Ulisses emitiu uma única palavra, forte o suficiente para deixar Gabriel estupefato:

— Aids.

Gabriel soltou Ulisses, que caiu no chão massageando o pescoço. Aquela palavra fez o ouvido dele latejar, e seu olhar cruzou com o de Alice. Ela estava pálida de medo. E algo dentro de Gabriel dizia que chegara a hora de temer consequências. Judite passou pelo marido, que ainda recobrava o ar, e, num gesto tão patético quanto inesperado, deu um tapa no rosto de Gabriel, fazendo-o perder o equilíbrio e quase cair.

— Que diabos está acontecendo aqui? — perguntou o jovem, com o rosto ardendo.

— Você transmitiu o vírus da aids para Alice. E também para mim! — acusou Judite.

— E eu também peguei, obviamente — concluiu Ulisses.

Irene tentou abraçar Alice, mas ela, sem entender uma vírgula do que se passava, não conseguiu retribuir o abraço.

— Vocês enlouqueceram? — perguntou Gabriel.

— Eu contei a ele — disse Judite, um tom de histeria na voz. — Contei que você me seduziu em troca de dinheiro.

Gabriel estremeceu com a acusação e lançou um olhar culpado para Alice, desesperando-se com a expressão dela.

— A senhora está louca — disse Gabriel.

— Você tem um sinal na virilha ou é loucura da minha cabeça? — desafiou Judite.

Em um curto espaço de tempo, refletiu Gabriel, sua vida desceu ladeira abaixo. Aquilo só podia ser um pesadelo.

— Você trouxe a doença para a nossa família — sentenciou Ulisses, agora de pé.

— Eu poderia processá-los por calúnia — disse Gabriel, estremecendo. — Vocês estão me acusando de algo muito grave.

— Estamos desesperados, garoto irresponsável! — retrucou Ulisses rispidamente. — Se você tem aids e trepou com a minha esposa, você transmitiu o vírus para ela! E ela para mim!

O rosto de Gabriel queimava e ele não conseguia impedir a manifestação de sentimentos mais profundos. Ele já era vítima do preconceito. Ulisses não se importava minimamente com a traição da mulher. Sua preocupação era o HIV. Gabriel estava com dificuldade para responder ao ataque do casal desprovido de noção. Sentia-se vulnerável e exposto. Antes de organizar as próprias palavras, Alice se adiantou:

— É verdade, mãe? Você dormiu com o meu namorado?

— Não seja idiota — respondeu Judite, um pouco mais agressiva que o normal. — Gabriel nunca foi seu namorado, nunca se comportou com fidelidade. Vendia o corpo e a alma na sua ausência.

Um nó se formou na garganta de Alice. Era como se a informação tivesse lhe provocado um curto-circuito.

— Que Deus a perdoe pela ausência de sentimentos — afirmou Irene, indignada com o comportamento de Judite. — Já você, Ulisses, que decepção! Não reconheço você.

— Ele nos contaminou com o vírus da aids!!! — esbravejou Ulisses.

Irene se assustou com o berro de Ulisses enquanto Gabriel permanecia sem palavras.

— Sairão notas nas colunas sociais sobre a tragédia que destruiu o nome da família Rifólis — disse Judite, pateticamente angustiada. — Perderemos o prestígio na sociedade paulistana por culpa desse moleque aí! Ele não é nada e não tem nada a perder, mas nós temos!

— Pai — disse Alice, firme e emotiva. — Vocês fizeram o exame?

— Não — eles responderam simultaneamente.

— Quando foi a última vez que você transou com o Gabriel? — Alice se dirigiu a Judite, ignorando os demais.

— Por que está perguntando isso?

— Porque é importante.

— Antes de você voltar, eu dei um basta nele. O assédio estava demais.

— Sua mentirosa do caramba! — Gabriel começou a xingar, mas Irene o impediu de continuar.

— A senhora não tem HIV — disse Alice com convicção.

— Muito menos o senhor, pai. Mas façam o exame para eliminar todas as dúvidas.

— Como pode ter certeza? — perguntou Ulisses.

— Eu contraí o vírus em Serra Leoa, durante o ataque dos rebeldes à minha unidade. — A voz de Alice vacilou. Lembrar-se daquele dia em voz alta era ainda muito mais difícil. — Estar de volta ao Brasil, mesmo que com HIV, é um milagre. Mas aqui nesta sala, com exceção de Irene, ninguém merece saber os detalhes do meu infortúnio. Vocês não estão preocupados com o meu estado de saúde. Até mesmo você, Gabriel, que infelizmente se tornou soropositivo por minha causa, não se interessa pela minha saúde. Prefere remoer sua raiva por ter contraído o vírus da namorada idiota que se mandou para Serra Leoa. Possivelmente acredita em traição, não é? Logo você, que teve a capacidade de dormir com a minha mãe. Seria cômico se não fosse trágico.

Ninguém ousou falar nada.

— Peço desculpas a todos pelo transtorno — continuou Alice. — Mas quero que me esqueça, Judite. E você também, Gabriel.

E retirou-se do recinto em passos rápidos. Em uma fração de segundo, Irene se dirigiu aos Rifólis:

— Está na hora de vocês irem embora.

—◆—

Ele não sabia o que esperar, mas certamente não era nada daquilo. Quando o casal Rifólis partiu e Irene desapareceu em algum cômodo à procura de Alice, Gabriel percebeu que estava sozinho. Desta vez não havia vivalma ao seu lado. Julgara Alice erroneamente, mesmo sem saber o que acontecera. Sentia vergonha de si mesmo. E de que adiantava? Aquele não era o seu lugar. Não era o seu mundo. Aquelas pessoas nunca deveriam ter entrado em sua vida. Ele errara ao fugir dos problemas. Criara outros ainda maiores. Tornara-se escravo dos acontecimentos.

Gabriel passara anos sentindo pena de si mesmo, lamentando a orfandade e afastando as pessoas para longe. Ele sentia falta de dona Teresa, Josias e Natasha. Não tinha notícias deles havia muito tempo. Desconhecia o paradeiro da sua verdadeira família. Ele não havia escrito cartas ou procurado por eles. Alice, o rapaz reconhecia agora, ao menos deixou um bilhete para as pessoas com quem se importava.

Vida e estrada possuem conceitos semelhantes. Em toda estrada existem bifurcações. Naquele momento Gabriel se via diante de uma. Era preciso tomar uma decisão, realizar uma escolha. Encerrar um capítulo. Refazer o trajeto, se possível. Mas sem fugir. Sem desprezar os aprendizados que adquirira.

Cansado de pensar, ele rabiscou um recado para Irene e depois saiu da casa, as mãos vazias e os pés protegidos apenas por um par de meias.

São Paulo, fevereiro de 2000.

Gabriel deixou o condomínio sem dinheiro nem perspectiva de felicidade. Seus pés estavam machucados, as meias que usava foram incapazes de impedir o surgimento de feridas que se abriam enquanto ele andava, rompendo bolhas de pus. Doía, mas Gabriel não parava para descansar. A jornada de regresso já estava recheada de sentimentos ambivalentes para ele acrescentar o pé como obstáculo.

Depois de duas semanas de privações nas ruas da capital, ele chegou ao abrigo. As paredes externas do lugar em que crescera evocavam sentimentos conflitantes por estarem ainda mais descascadas e emboloradas, como se refletissem a condição de abandono dos seus moradores.

Gabriel ficou imóvel por um longo tempo, ouvindo o barulho de vozes e choros infantis. Seus olhos arderam. Esquecera-se do sofrimento que caracterizava o lugar e sentia vergonha pela forma como agira nos últimos anos.

Quase que por impulso, ele tocou o interfone, transpirando de nervoso enquanto aguardava ser atendido. Finalmente, uma voz feminina surgiu no aparelho:

— Boa tarde.

Gabriel emudeceu brevemente. Não reconheceu a voz.

— Quem é? — perguntou ele ansiosamente, o medo em não encontrar dona Teresa se instalando no peito.

— Luciana, diretora desta instituição.

— Luciana? Mas... o que aconteceu com o Xavier? — Gabriel não se conteve.

— Ele não trabalha mais aqui. — Havia uma frieza sutil na voz do interfone. — Está procurando por ele?

— Não. Procuro pela dona Teresa. — A voz dele estava rouca. Xavier não trabalhava mais no abrigo. Uma boa notícia. — Teresa do Perpétuo Socorro, a mãe assistente. Ela se encontra?

— Seu nome é...?

— Gabriel. Sou um antigo morador daqui.

Fez-se silêncio.

— Aguarde um momento — pediu Luciana.

A cabeça de Gabriel pesava e ele desconfiava de febre, mas pouco importava.

— Oi.

A voz de dona Teresa vinda do interfone o fez pular. Era ela, sem dúvida. O que diria? Sentia-se um intruso, incapaz de articular uma frase.

— Está tudo bem? — perguntou a voz. Ele ouvia, impotente. Tinha travado. — Vou até aí.

Da porta, surgiu o rosto surpreso de uma mulher de cabeça branca e aparência cansada. O rosto de Gabriel queimou, adquirindo diversos tons avermelhados. Ele respirava de maneira irregular, esforçando-se para não chorar. Ainda era bastante orgulhoso.

Dona Teresa se aproximou devagar, notando que ele estava sujo, barbudo e muito debilitado. Ela colocou uma mão no rosto dele, seu olhar repleto de lágrimas caindo por toda a face. Dona Teresa cheirava a cebolas e... afeto. Gabriel não sabia explicar por quê; afinal, afeto não tinha cheiro.

— Perdoe-me — murmurou ele, olhando o chão. — Não devia ter fugido.

— Oh, esqueça isso, meu filho.

Gabriel engoliu a bola que se formava na garganta.

— Fui ingrato.

— Isso não importa. Você está aqui novamente.

— Agora é tarde, dona Teresa.

O olhar de Gabriel era fundo e penetrante.

— Estou doente — revelou ele.

Dona Teresa desceu o olhar para os pés de Gabriel.

— Não toque neles, dona Teresa. Tem sangue.

— Vamos desinfetar e tratar. Essas bolsas de pus são abscessos. Você andou descalço nesse chão quente?

— Eu usei meias.

— É o mesmo que andar descalço, menino.

— Dona Teresa... Estou doente.

Ela fitou Gabriel nos olhos, fazendo-o desviar o olhar de constrangimento.

— Não vou deixar de tratar o seu pé por causa disso.

— Tudo bem — concordou ele, voltando a olhá-la. — Mas você vai usar luvas?

Dona Teresa endireitou o corpo.

— Sim, se você faz questão. Mas por que a insistência?

Gabriel respirou fundo e desviou novamente o olhar. Quando retomou a palavra, não foi convincente, mas o argumento serviu para o momento.

— Provavelmente estou com infecção nos pés, como você mesma percebeu. É recomendável que você utilize luvas e material esterilizado para evitar maiores implicações. — Gabriel encarou dona Teresa. — Eu não tinha tênis nem chinelo — completou.

Dona Teresa assentiu de leve, certa de que o rapaz não lhe contava tudo. Ele usava roupas caras, ainda que encardidas.

— Entre — pediu ela, segurando-o pela mão. — Vamos tratar desses ferimentos e depois conversamos. Aceita suco de limão?

Gabriel sorriu ao pensar no limoeiro.

— Com certeza.

— ◆ —

Não era comum partir sem levar a própria mala ou o cartão de crédito. Irene ligou para quase todas as mulheres que frequentavam a mansão de Judite à procura de Gabriel. O rapaz parecia ter evaporado. Ninguém sabia dele. A ausência de notícias era inquietante demais para ela.

Alice, por sua vez, vivia com o olhar perdido e alheio à realidade, passando dias sem emitir uma palavra ou mesmo sair do quarto. Ela recebia visitas de Maria, mas dormia na maior parte do tempo. Não queria conversar. Descobrir o caso da mãe com Gabriel desestabilizou seu emocional completamente. Irene contou que Gabriel desapareceu, e ela não demonstrou interesse nem sinal de que absorvera a informação. Alice estava num estágio avançado da infecção. A baixa imunidade e as doenças oportunistas interferiam, inclusive, no seu ciclo menstrual. Mas ela nada dizia, nada revelava, permanecendo apática, deitada na cama, sem fazer novos exames ou realizar o tratamento prescrito pelo infectologista.

Irene continuava preocupada com Gabriel, sem ter com quem conversar. No bilhete que lhe fora destinado, Gabriel apenas rabiscou: "Muito obrigado por ter feito parte da minha vida". O que não só fez com que ela se debulhasse em lágrimas como também despertasse certa urgência maternal. "Ele está doente", pensava ela. Doente e sem dinheiro. "Meu Deus, eu tenho que encontrá-lo."

Decidida, Irene abriu a mala de Gabriel em busca de pistas, tentando não imaginar qual seria sua reação se a visse ali, violando sua intimidade. Depois de um tempo retirando peças de roupa, Irene encontrou algo no fundo da mala que a deixou incrédula. Quantos anos teria aquilo? Muitos, sem dúvida. Mas era ele, não podia ser outro. Tinha o mesmo defeito na linha de costura dos lábios...

Irene ficou zonza de repente. O que o ursinho do seu filho fazia ali? Ela procurara pela pelúcia ao longo dos anos e jamais encontrara. Aquilo só podia ser uma pista, o rastro de alguma história não contada. Estaria pronta para ouvi-la?

Numa reação instintiva, Irene se levantou com o urso na mão e saiu do quarto. Ao passar pela porta fechada do quarto de Alice, hesitou entre chamá-la ou seguir com seus passos obstinados em direção ao saguão. Seu coração mole venceu. Irene bateu na porta uma vez. Depois duas. Três. Na quarta, ela desistiu. Alice não reagia, e como Irene precisava descobrir por que a pelúcia do seu filho estava na mala de Gabriel, deixou a jovem para trás ao entrar no carro, solicitando ao motorista que a levasse a um abrigo específico na zona leste de São Paulo.

— ♦ —

Irene se lembrava com facilidade da sensação de alegria ao tomar o filho nos braços, o barulho dos seus passinhos pela casa, os carrinhos que encontrava nos braços do sofá. Era uma criança adorável, amada por ela e Irineu desde o primeiro instante em que a viram. Passaram-se anos, e essas memórias se tornaram tão íntimas que revivê-las ali, dentro do carro com o motorista, parecia errado, mesmo ele sendo discreto em fingir que não a ouvia choramingar e fungar. Era complicado explicar. Irene não gostava de imaginar que a julgavam por não estar presente quando o acidente aconteceu e também quando os corpos foram cremados e jogados ao mar. Ela não pôde se despedir do filho e do esposo, nem mesmo no último segundo.

Irene apertava a pelúcia num abraço desesperado, e o motorista imaginava quão carente ou louca era aquela mulher.

Numa manobra delicada, o carro estacionou diante do abrigo. Ela não visitava o lugar desde aquela época. O ambiente, pelo menos do lado de fora, não parecia tão desolador no passado. Quando a atenderam, Irene reconheceu a mulher de cabeça branca, mas notou sua expressão séria. Foi convidada a entrar no momento em que imaginava a mulher culpando-a por não estar no Brasil quando tudo aconteceu.

— Sente-se — sugeriu dona Teresa, indicando uma cadeira pouco confortável.

Irene se aconchegou o melhor que pôde, sem deixar de emitir um som de dor.

— Tenho problemas nas pernas — explicou Irene com um breve sorriso.

Dona Teresa não sorriu de volta. O único som era do ventilador velho, que fazia um ruído desconfortável, parecendo querer despencar do teto.

— Bem... — começou Irene, um pouco atrapalhada diante do olhar incisivo de dona Teresa. — Encontrei este ursinho nas coisas do jardineiro lá de casa.

Dona Teresa arregalou os olhos como que assustada e agarrou o urso, avaliando-o. Irene não gostou do gesto abrupto, mas não disse nada.

— É do Gabriel. Como você o encontrou?

— Era do meu filho Gabriel — corrigiu Irene enfaticamente. — O jardineiro também se chama Gabriel. Não entendo por que o urso estava na mala dele.

— Gabriel trabalha como jardineiro na sua casa?

— Você o conhece? Bem... sim. Mas não é sobre isso que eu gostaria de falar. Passei anos procurando esse ursinho que está nas suas mãos.

— Sem sucesso, claro. — Dona Teresa lhe devolveu o urso, adquirindo um tom de voz frio e calculista.

— Vasculhei a casa toda e nada.

— E você não imagina por quê?

Irene olhou para ela com uma expressão confusa.

— Eles não disseram para a senhora que abandonaram a criança aqui aos prantos com esse urso nas mãos? Você não sabia que o urso tinha vindo com a criança? Esse é o problema?

— Não estou entendendo...

— Pois eu explico — disse dona Teresa. — Existe diferença entre criar filho e brincar de bonecas. Algumas mães se desfazem dos pequenos ao descobrir a diferença.

— Está havendo um grande mal-entendido aqui. — Irene a interrompeu. — Meu filho morreu ainda criança. Eu não me desfiz dele.

— Para você, metaforicamente, até pode ser.
— Não estou usando metáforas.
Dona Teresa soltou uma risada, esquisita e sem humor. Aos olhos de Irene, ela era uma mulher muito amarga.
— Você está aqui por qual motivo, então?
— Quero entender por que a pelúcia do meu filho apareceu na mala do jardineiro como num passe de mágica.
— E você veio justamente aqui? No lugar com o qual, *metaforicamente*, seu filho deixou de ter vínculos quando vocês o adotaram? Minha senhora, você está se ouvindo?

Irene não respondeu, respirava de maneira irregular. Tinha alguma coisa muito errada acontecendo. Realmente não fazia sentido estar ali. Ela se levantou com dificuldade e, quando estava perto da porta, pronta para sair sem olhar para trás, dona Teresa falou:

— Gabriel foi abandonado aos quatro anos, pouco tempo depois de você adotá-lo. Não o reconhece entre os arbustos da própria casa?

Irene ficou sem ação. Dona Teresa se recusou a ficar calada:

— Não, pelo jeito...

Irene se sentia perdida, enganada e até mesmo culpada. Precisava reconstruir a história que lhe fora contada anos atrás, pois dona Teresa rearrumou tudo de outra maneira, em um formato que Irene desconhecia. Ela repassava a conversa inteira, tentando acreditar que aquela mulher estivesse louca e infeliz, desejando infernizá-la. Ninguém feliz é agressivo dessa maneira. Gabriel era de fato bastante semelhante ao filho que perdera no acidente. Uma versão adulta daquela criança.

— Eu... Essa história não faz sentido porque eu nunca devolvi o Gabriel — disse Irene. Ela estava branca como uma folha de papel.

Dona Teresa saiu da defensiva, adotando uma postura menos agressiva:

— Nem autorizou que o devolvessem?

— Por Deus, não! Me disseram que ele faleceu no mesmo acidente de carro do meu marido.

Dona Teresa pareceu processar aquela informação antes de conduzir Irene novamente à cadeira, notando que lágrimas silenciosas desciam pelo rosto da visitante. Respirando fundo, dona Teresa pediu que Irene aguardasse, porque ela iria atrás dos arquivos referentes ao caso. Ela estava feliz por saber que Gabriel trabalhava honestamente. Natasha ficaria emocionada, tinha certeza. Mas toda a situação envolvendo a mãe adotiva, e dona Teresa se lembrava muito bem dela, parecia confusa demais.

Dona Teresa retornou minutos depois com uma pasta. Ela folheou o conteúdo e encontrou o documento de adoção, amarelado pelo tempo, assinado por Irene e Irineu. Também encontrou outro documento assinado por Catarina, irmã de Irene, e Ulisses, amigo da família, sobre a devolução da criança. No papel havia uma nota sobre a morte de Irineu, uma observação sobre o quadro de invalidez de Irene e a falta de familiares disponíveis para cuidar daquela criança, dado que Catarina já tinha três bocas para alimentar.

— Eles mentiram para mim. — A voz de Irene saiu engasgada. Ela quase não conseguiu ler os documentos à sua frente. Precisou baixar a cabeça entre as pernas porque se sentia tonta. — Durante todos esses anos...

— A senhora estava inválida? — perguntou dona Teresa.

— Eu tive um AVC nos Estados Unidos quando recebi a notícia da morte de Irineu. Os médicos não foram otimistas. Acho que eles pensaram que eu ia morrer. — Irene tremeu ao proferir as últimas palavras. — Quando acordei do coma, a minha irmã, essa aí dos papéis, afirmou que Gabriel também estava no carro. E que havia falecido.

Dona Teresa não soube o que dizer. Acabara de descobrir que Gabriel vivera uma mentira durante toda a sua vida, desenvolvendo seríssimos problemas de ordem emocional. Tornara-se arredio, desconfiado e incrédulo quanto ao sentimento das pessoas. E a mulher diante dela? Quanto sofrimento!

— Sobre o rapaz que cuida do meu jardim — Irene falava olhando para as mãos —, sempre tive um carinho especial por ele. Ele não é um simples funcionário, só que eu não sabia que era o meu filho.

Então Irene chorou, sem soluçar, mas no desabafo profundo daqueles que conhecem as maiores dores e alegrias da vida. Perder um filho, reencontrar o filho.

— Não há dúvidas, dona Teresa?

— Sobre Gabriel ser seu filho? Não. Eu reconheceria esse ursinho mesmo pintado de graxa. Ursinho que você também reconheceu.

Irene murmurou que sim.

— Ele não largava essa pelúcia. Gabriel esperou vocês por quase uma década.

— Eu não sabia... — Irene voltou a chorar.

— Os caminhos de vocês se cruzaram novamente, e não foi por acaso. — Dona Teresa sorriu, com fé. — Investigue o que aconteceu e converse com ele.

— Dona Teresa — murmurou Irene, enxugando os olhos —, Gabriel está sumido. Ele... está doente e de repente foi embora, sem levar a própria mala e o cartão de crédito. Temo que esteja passando fome.

— Há quantos dias?

— Quase uma semana.

Dona Teresa respirou fundo, então disse:

— Ele sempre fugiu dos problemas.

— Ele me deixou um bilhete.

— Bilhete?

— Sim — confirmou Irene. Ela estendeu o papel a dona Teresa, que reconheceu a letra de Gabriel. Era ele, sem dúvida.

— Quando ele saiu daqui — disse Dona Teresa, retirando os óculos de leitura —, não deixou nenhum bilhete. Na verdade, ele desapareceu.

— Então você acha que este bilhete não significa um adeus?

— Significa consideração pela sua pessoa, acima de tudo. Acredito que em breve saberemos dele.

— Ele está sem dinheiro.

— Não podemos esquecer que Gabriel é um sobrevivente.

— Preciso encontrá-lo. — Havia uma urgência nova na voz de Irene. — E tenho que tirar toda essa história a limpo com minha irmã e Ulisses. Não posso acreditar no que fizeram. Uma criança de quatro anos...

Irene se levantou sem concluir a frase, estava determinada a descobrir a verdade. Ela já ia se despedindo quando dona Teresa lhe pediu desculpas, explicando que jamais imaginou que ela, assim como Gabriel, tivesse sido vítima de uma crueldade digna dos folhetins.

Quando Gabriel surgiu na porta do abrigo, o coração de dona Teresa quase entrou em colapso. Toda a verdade sobre a vida daquele rapaz ferido e debilitado veio à sua mente. Ela sentiu alegria em vê-lo novamente, constatando que o bilhete deixado para Irene não era o único sinal de uma profunda mudança. Depois de alimentá-lo, ela ligaria para Irene com o objetivo de acalmar a pobre mulher.

Gabriel permitira que dona Teresa abrisse os abscessos para drená-los, e ela pressionou o máximo de pus que conseguira. Apesar da palidez e de permanecer calado durante todo o procedimento, o jovem soltou um som abafado quando dona Teresa lavou os ferimentos. Ardeu muito. Fazia parte do processo de desinfecção. Depois, ela envolveu os pés dele com uma faixa e o acomodou num quartinho minúsculo com colchão e produtos de limpeza.

Dona Teresa pediu que ele evitasse andar, então lhe sobrou apenas o colchão para se deitar. E aguardar. Aguardar por uma conversa franca com dona Teresa, saber de Natasha. Josias. Sentindo-se aconchegado por forrar o estômago, Gabriel acabou adormecendo no quartinho enquanto seu passado era descortinado sem que ele ao menos imaginasse.

— ♦ —

Ulisses não prestava atenção em si mesmo fazia dias, o que não era surpresa, uma vez que sua filha era portadora de uma doença incurável e a esposa o traíra indecentemente. Durante o tempo que se passou da revelação desses fatos, ele se sentiu exausto, pronto a ser levado por qualquer maré. Tinha cansado de lutar, não tinha fôlego para enfrentar a onda de problemas que se formara, enorme, diante dele.

Ulisses se sentia punido pelo destino. Talvez, se não tivesse devolvido o garotinho ao abrigo, nada disso teria acontecido. Estava tão angustiado que bebeu quase uma garrafa de uísque. "Aquilo é passado", pensava, enquanto sentia a bebida queimar a garganta e entorpecer sua mente. Nem Irene nem qualquer outra pessoa jamais descobririam. Catarina não estava no Brasil, logo não daria com a língua nos dentes. No entanto, ele sentia culpa e uma fúria avassaladora pela existência dessa culpa. Por vezes sentia que ia sufocar e precisava correr pelo condomínio, correr muito, para longe dos próprios pensamentos, que o seguiam implacavelmente. Fugir da própria consciência era inútil.

Ele ouviu vozes e passos agitados do lado de fora do escritório. Maria e quem mais? Não podia ser Judite. Ela se mandara para a Europa depois que seu casinho com o moleque do Gabriel viera a público. Judite preferiu sair de cena, como sempre fazia quando uma bomba estourava.

Assim que Ulisses identificou de quem era a segunda voz, a porta se abriu com um estrondo. Era Irene.

Um pouco perdido, em parte pelo excesso de álcool, Ulisses se aproximou de Irene cambaleante e lhe ofereceu o copo de uísque. A mulher sorriu com incredulidade e em seguida afastou o copo para longe com um tapa na mão do homem. O incidente serviu para acordar Ulisses para a realidade, mesmo que superficialmente.

Ele se aproximou de Irene, fazendo-a sentir o cheiro forte de álcool no hálito dele.

— O que deu em você?

— O que deu em mim? — Irene sentia vontade de chorar de irritação. — Você abandonou o meu filho!

Ulisses recuou, dando-lhe as costas. Parecia estupefato demais para responder.

— Você nega? — perguntou ela, quase um minuto depois.

Ele se virou para olhá-la, calculando suas chances naquela situação. O álcool não ajudava muito, mas a prudência sugeria que fosse franco.

— Vocês estavam com ele há pouco tempo — disse ele, que não a encarou desta vez, apenas se dirigiu à cadeira mais próxima. — Irineu havia morrido e os médicos não estavam otimistas com o seu quadro.

— Um mês pode parecer pouco, mas ele era o meu filho. Não um objeto a ser abandonado sem me consultar.

— Você estava em coma.

— Morta, no entendimento de vocês?

— Ninguém queria ficar com ele. Vocês o adotaram com quatro anos de idade, parabéns, mas raramente alguém adota uma criança dessa idade. Eu não poderia criá-lo, com Alice pequena. E a sua irmã...

— Por que deixou Catarina inventar que ele morreu?

— Você falou com a Catarina? Pensei que ela estivesse no exterior.

— Eu liguei para ela. Contei que descobri tudo, que fui até o abrigo. Catarina agiu como Catarina. "É coisa do passado, não importa mais. Tente entender, Irene querida. Eu não poderia misturar os meus filhos com uma criança de orfanato, sem educação e piolhenta."

Ulisses parecia exausto. Não era um homem mau, e a culpa pesava em seus ombros.

— Dói, Ulisses. Dói muito. Descobrir que a sua própria irmã rejeitou uma criança. Meu filho.

— Irene — disse Ulisses baixinho —, quando você saiu do coma, eu pensei em desmascarar Catarina. Contar a verdade. Mas o menino já poderia ter sido adotado. E eu te perderia para sempre.

— Você foi ao abrigo para saber se ele havia sido adotado?

— Não. Eu...

— Claro que não. Se ainda planejava construir algo comigo, não era bom ter o filho de Irineu por perto.

— Não, Irene. Não é isso. Você não me perdoaria pelo que fiz. Nem mesmo eu consigo esquecer o rostinho confuso dele quando... Bem, não importa. Eu não suportaria que você me virasse a cara!

— É sempre tudo sobre você, seus medos, suas expectativas, não é, Ulisses?

— Quando vocês o adotaram, não se falava de outra coisa no escritório. E eu sofria calado. Poderia ter sido eu, e não Irineu.

"Então ele sabia", pensou Irene. "Ele sempre soube que tivemos um filho." Por um instante ela se lembrou da conversa que tivera com Gabriel. E em como ele gostava do homem bêbado à sua frente.

— Não, não poderia ser você o pai dele. Irineu jamais agiria contra uma criança indefesa.

— Irene, por favor — pediu Ulisses num tom exasperado.

— Você não aguentou quando soube da morte de Irineu. Apenas eu sei quão desesperadores foram os minutos de silêncio absoluto ao telefone. Quando você acordou, nossa, foi um milagre. Não quis angustiá-la falando que devolvemos o menino para o abrigo porque achávamos que você não voltaria.

— Eu quase morri quando Catarina disse que o "menino" estava morto.

— Mas como seria se soubesse que nós devolvemos a criança?

— Nunca saberei. Vocês também inventaram que cremaram o corpo dele, assim como o do pai. Ultrapassaram todos os limites.

— Erramos. Eu sei.

— Não se trata de erro, Ulisses. Isso que vocês fizeram é abominável! É desumano! É crime!

— Eu... — Um grande nó surgiu na garganta de Ulisses. — Eu já estou sendo punido. Minha filha é uma aidética.

— Não se refira a ela nesses termos.

— Minha filha está com HIV, minha esposa nunca prestou, meu melhor amigo roubou a mulher que eu amo.

— E você aqui. Bebendo. Sentindo pena de si mesmo. Acreditando ser melhor que todos eles. Enquanto poderia estar dando apoio a Alice.

— Ela tem uma doença que impede a minha aproximação.

— Cale a boca! — gritou Irene, assustando Ulisses. — Não seja assustadoramente ignorante ao menos uma vez nesta *porra* de vida! Alice precisa de você, aliás, ter o amor paterno deveria ser o maior direito dela.

Irene passou a mão pelo rosto, desconhecendo a si mesma por aquela reação. Então abandonou o recinto na velocidade com que suas pernas permitiram, enquanto ao longe o chamado de Ulisses se tornava inaudível.

— ◆ —

— Alice, você não tem tomado os remédios.

A jovem exibia extrema fraqueza. Havia emagrecido e possuía feridas na pele de difícil cicatrização. Sentia fortes dores no estômago, mas não pretendia contar sobre elas. Não queria ser internada em vão. Todos reconhecem a morte quando ela se aproxima. Alice sabia que o estômago, assim como outros órgãos, estava entrando em falência.

— Estou preocupada com você. Não a vejo tomar sol, banho ou mesmo comer. Parece que... — Irene soltou o ar antes de prosseguir, seus olhos começando a arder. — Parece que você desistiu da vida.

— Não quero tomar remédios violentos para continuar "sobrevivendo".

— Deixar de tomá-los é cometer suicídio indireto, Alice.

— Que seja — respondeu ela com rebeldia. — Tem falado com o meu pai?

Um pouco sem graça, Irene negou com a cabeça. Preferia omitir os acontecimentos recentes.

— Eu disse que ele não saberia lidar com isso — reiterou Alice.

A jovem não demonstrava o que sentia, nem ao menos chorava. Ela já esperava aquele comportamento do pai.

— Tenho pensado na possibilidade de você fazer terapia. O que acha?

— Não vejo finalidade.

Irene observou a amiga deitada, parcialmente ereta, apoiada em travesseiros, com a aparência dos moribundos, e suspirou com pesar:

— Porque está desistindo de si mesma.

O telefone começou a tocar.

— Não se preocupe comigo — pediu Alice, que, apesar da fragilidade, mantinha genuína determinação no olhar.

— Promete que vai tomar os remédios?

O telefone berrava no andar de baixo, e Irene saiu para atender, sem aguardar a resposta de Alice.

Sozinha, a moça deixou as pálpebras fecharem. Na presença das pessoas, ela se desdobrava para ocultar dores ou sintomas mais sérios, como tosse acompanhada de sangue.

Um barulho no andar de baixo, seguido pelo motorista ligando o carro, anunciava que Irene saíra às pressas.

Alice se levantou da cama com dificuldade, caminhando até a janela e se apoiando nos móveis pelo caminho. Diante do jardim, mesmo olhando de cima, constatou que a falta de Gabriel já se fazia presente. A grama crescera e os arbustos precisavam de poda. O jardim voltara a ser negligenciado, mas como culpar Irene? O fardo que ela carregava não era leve.

Alice respirou fundo, abraçando a si mesma. Sentia-se solitária. Queria que Gabriel estivesse com ela, mas, depois de tudo o que aconteceu, ele não podia respeitá-la, assim como nunca a respeitou. Ele não a considerava nem como amiga. Amor? Improvável que a amasse. Mas ela merecia ser amada.

Foi então que Alice sentiu a respiração acelerar, seguida de náuseas e vômitos com sangue. Sem forças, caiu de joelhos no chão, suando frio e experimentando uma horrível sensação de falta de ar. Desejou que alguém a encontrasse e, em pânico, lamentou ter escondido de Irene como se sentia. Queria chorar, mas não tinha lágrimas para isso. Alice rolou no chão, perdendo a consciência, conforme sentia uma pressão no peito e a sensação iminente de que sua vida chegava ao fim, num cenário pior que o da guerra. Ela morria solitária, numa poça de nojeira lançada pela boca, sem ninguém para ajudá-la.

— ◆ —

Irene se sentia no pico da ansiedade, pedindo ao motorista que ultrapassasse os sinais vermelhos, o que lhe foi negado, afinal, quem perderia pontos na carteira seria ele e não ela. O fato é que a zona leste nunca lhe pareceu tão distante, mesmo num dia relativamente calmo em São Paulo, quando não havia muitos congestionamentos nem pessoas correndo pelas ruas.

Dona Teresa ligara para Irene, informando-a que Gabriel repousava no abrigo. A senhora parecia bastante emotiva, enquanto Irene a atropelava com perguntas e mais perguntas. A mais inquietante era sobre a adoção de Gabriel, mas dona Teresa assegurou que não falara sobre isso com o rapaz.

Irene perguntou como ele estava, e dona Teresa falou da infecção nos pés e da aparência desleixada. Irene não quis ouvir muito, falou em visitar o filho e, com a confirmação de dona Teresa, lá estava ela rumo ao reencontro, não com o Gabriel jardineiro, mas com o Gabriel filho. Irene transbordava de emoção, e vez ou outra o motorista a olhava pelo espelho retrovisor, tentando imaginar o que se passava no mundo interior daquela mulher.

No abrigo, Irene abraçou dona Teresa, desejando transmitir toda a gratidão que sentia.

— Você é a mãe dele — disse dona Teresa.

Os olhos de Irene transbordaram ao ouvir a palavra *mãe*. Ela acompanhou dona Teresa até uma porta estreita verde-clara. A pintura estava velha e refletia a carência do lugar, deixando Irene melancólica. Gabriel crescera num lugar triste.

Ela parou de refletir quando dona Teresa abriu a porta e um odor rançoso veio lá de dentro. Gabriel dormia em posição fetal, perto de várias vassouras. Ela se agachou e, ao colocar a mão em sua testa, notou que ardia em febre.

— Chame uma ambulância com urgência! — ordenou Irene.

Percebendo o horror na voz de Irene, dona Teresa não titubeou. Pouco tempo depois, Gabriel estava no hospital e o dr. Sebastiano assumiu o controle da situação.

— Ele saiu de casa usando meias e nenhum calçado? — perguntou o médico.

— É o que parece — respondeu Irene.

— E a medicação?

— Ele deixou os remédios em casa.

Dr. Sebastiano fez algumas anotações e depois olhou para Irene, um pouco mais sério.

— É importante que ele inicie o tratamento antirretroviral adequadamente.

— Eu sei. Vou pegar no pé dele.

O médico suspirou, desviando o olhar de Irene, então retomou:

— Os abscessos são reações do sistema imunológico contra infecções que atingem algum tecido orgânico. Solicitei novos exames de sangue, porque ele passou por situações atípicas nas últimas semanas. Mas não há razão para preocupações. Quem drenou o pus fez um excelente trabalho, e pela condição dele foi muito bom que você o tenha trazido para cá.

— Quando ele recebe alta?

— Acredito que amanhã.

— Obrigada, doutor.

O médico se limitou a um breve sorriso e apertou a mão de Irene, que deixou a sala para encontrar dona Teresa, um senhor de idade e uma jovem com um bebê no colo.

Notando que aquelas pessoas olhavam para ela com grande interesse, Irene buscou o olhar de dona Teresa, que apresentou Josias e Natasha. A mãe da criança, Irene observou, era jovem, mas aparentava ser mais velha. Usava rabo de cavalo e nenhuma maquiagem no rosto. Seu semblante esboçava resignado sofrimento.

— Senhora Irene — disse Natasha com breve hesitação. — O médico mencionou quando podemos falar com o Gabriel?

Irene olhou no fundo dos olhos da garota.

— Já é possível. Você quer conversar com ele?

— Sim. É muito importante.

Irene trocou olhares com dona Teresa. Josias se adiantou e pegou o bebê no colo.

— Vá. Eu cuido dela — disse o jardineiro.

Natasha murmurou palavras de agradecimento e se apressou pelos corredores, os braços cruzados sobre a barriga.

— Não é o que parece — disse dona Teresa, observando Natasha se afastar.

— Como? — perguntou Irene de sobressalto.

— Gabriel não é o pai dessa menininha aqui — interveio Josias.

— Ah...

— Mas é uma longa história — explicou ele. — Vamos todos comer alguma coisa? Algo me diz que o papo entre aqueles dois pode demorar.

E assim os três idosos seguiram em direção contrária à de Natasha, conversando sobre o dia em que Gabriel atingiu a maioridade.

São Paulo, fevereiro de 2000.

A cada dia Irene descobria algo novo, mesmo nas velhas lições, que agora possuíam significados maiores. Andando pelos corredores em passos rápidos, ela pensava na linha tênue que conectava tantas histórias. Na ironia do destino e nas urgências individuais que criaram tamanho drama coletivo. No amor, puro e sincero, capaz das maiores renúncias. Natasha era adorável. Gabriel não contou quase nada sobre ela. Na verdade, seu desabafo de tempos atrás ocultara diversas informações.

Quando chegou ao quarto do filho, Irene bateu na porta antes de entrar, com um sorriso tímido e contido pela emoção.

— Pensei que tinha perdido você.

Ela apertou a mão dele, com dificuldade em manter a voz equilibrada.

— Não estou numa situação fácil — respondeu ele com um meio sorriso, ajeitando-se na cama do hospital. — A vida inteira me vitimizei, sem pensar no mal que fazia às pessoas. De certo modo, agi igual ao casal que me adotou, igual à mulher que me gerou.

Irene olhou para os próprios pés. Não sabia como contar a ele.

— Como foi reencontrar Natasha? Gostei muito dela.

De forma brusca, Gabriel virou o rosto. Exibia olhos vermelhos e a mandíbula rígida. Irene refletiu sobre o que acabara de perguntar. Não queria que ele se sentisse invadido. Quando voltou a falar, no intuito de romper o silêncio, foi comedida, mas direta:

— O soco foi justo.

— Como?

— Eu não conhecia a história inteira — respondeu ela. — Pensei que tivesse agido por ciúme. Mas agora sei que não. — Irene respirou fundo, olhando novamente para baixo. — Xavier era abominável. Tente imaginar a minha cara ao descobrir que ela se tornou mãe solo.

— Você não tem culpa.

— Eu abandonei Natasha depois de tudo que ela passou.

— Ela não pensa nisso.

— Foda-se. — Gabriel não olhava Irene nos olhos. — O amor dela por mim foi a sua ruína.

— A criança a salvou.

— A garota é filha *dele*.

— Serena é inocente.

— Eu sei — disse Gabriel, o tom de voz pesado. — Os filhos não são iguais aos pais. Pelo menos não deveriam ser, porque eu provei ser igual aos meus.

Movida pelo impulso, Irene perguntou:

— Você sabe o que sente por eles?

— Eu cresci órfão. — Gabriel deu de ombros de maneira mecânica. — Mas tive outras pessoas na vida, outros amores. Pessoas que mereciam receber notícias minhas.

O rosto de Irene estava contraído. Traumas. Irineu e ela eram traumas na vida dele.

— Não pensei em nada quando deixei sua casa — continuou Gabriel, reflexivo. — Só queria voltar ao abrigo, trilhar o mesmo caminho novamente. Fazer as pazes com o passado. Tolice a minha. A jornada jamais seria a mesma.

— Eu quase tive um acesso de pânico ao encontrá-lo jogado naquele quartinho. Tão... vulnerável.

Gabriel não disse nada.

— Eu... Como é difícil dizer isso... Eu não sobreviveria se o perdesse *novamente*.

O rosto de Irene se enrugou. Estava difícil demais conter as emoções perto do filho.

— Você se lembra de quem o abandonou no abrigo? — perguntou ela.

— Um motorista qualquer.

— Então sabe que não foi o seu pai?

— Há uma barreira que bloqueia a imagem dos meus pais adotivos. Não me lembro do rosto deles, mas afirmo que eles não me levaram de volta. Foi mais fácil delegar a função ao empregado.

Irene tinha os olhos marejados.

— Era como estar no escuro sem direito ao uso do interruptor, entende? — continuava Gabriel, as palavras saindo com dificuldade. — Não pude perguntar nada a eles. Ambos se ausentaram.

— E os nomes deles?

— Também não lembro.

— Seus pais jamais te abandonariam. Você iluminou a vida deles.

Gabriel fez cara de quem não acreditava naquilo. Irene continuou, sem conter as lágrimas:

— Eles o amaram desde o primeiro momento em que o viram, brincando de carrinho deitado no chão. — Ela enxugou os olhos com a palma da mão. — Queriam descobrir o que se passava no mundinho imaginário daquele menininho. Os pais têm dessas coisas.

Gabriel ficou paralisado por alguns segundos e depois perguntou:

— Por que diz tudo isso?

— Porque seu pai morreu num acidente de carro e a sua mãe estava no exterior, entre a vida e a morte.

Ele encarou Irene fixamente nos olhos.

— Muitos acreditaram que ela não sobreviveria para cuidar de você — completou Irene.

— Não... — Gabriel começou a dizer, sem conseguir formular frases completas. — Você não está dizendo que...? Não pode ser... Você... Você não pode justificar...

— Nós não te abandonamos. — Irene chorava.

— O motorista... Não posso acreditar que trabalhava pra você.

— Ele não era motorista. — Num ato de desespero, Irene segurou o rosto de Gabriel com as mãos. — Olhe nos meus olhos. Era Ulisses. Por favor, acredite em mim.

A cabeça de Gabriel rodou.

— Gabriel, meu filho, eu não te abandonei. Durante todos esses anos eu não sabia que você estava vivo!

— Isso é mentira...

Gabriel tentou se levantar, mas foi impedido por Irene. Ele tentava pensar, processar toda aquela informação. A vida fora desonesta demais com ele. E de repente, como se tivesse quatro anos de idade, preso em um quarto escuro, Gabriel esticou os braços a Irene e ela o abraçou. Sem defesas, ele chorou compulsivamente.

Maio de 2015.

Não o visito há quinze anos. Acompanhei outra fase. Quando ele gritava aos céus, assustando qualquer pessoa que se aproximasse. Quando se acostumou ao isolamento, lembrete constante de que era sozinho. Não vivia momentos agradáveis, evidentemente, mas com o tempo seus olhos reconheceram a depressão oriunda da rejeição, da solidão e do completo abandono, não como dor exclusiva. Era a realidade da criança carente, do idoso em asilo, do portador de doença incurável, do jovem que sofre bullying, da mulher negligenciada, do autoabandono... Os pensamentos dele mudaram, ele mudou, e nos tornamos incompatíveis.

Gabriel não se sentia mais abandonado. Ele se encontrou, casou-se com a namorada do abrigo, adotou a filha dela e tiveram outro filho. Trabalha com jardinagem, continua indetectável e viaja com a família para o litoral paulista sempre que possível.

À distância, eu o vejo auxiliando diversos indivíduos com a mesma motivação do anjo de nome Alice. Sim, eu tenho que reconhecer, ela era boa. Raramente encontro alguém como ela.

Gabriel tem esperança de que um dia ninguém mais se sinta rejeitado como ele se sentiu. Que as pessoas sejam menos indiferentes e mais solidárias. O sonho é ambicioso, talvez ingênuo, mas, a bem da verdade, torço para que se realize. É chato ser o caos que o torna um grão de areia, insignificante, como tudo que é irrelevante.

Abandono

Esta obra foi composta em Utopia Std 12 pt e impressa em
papel Pólen soft 80 g/m² pela gráfica Meta.